JN121839

yuzuka

モノクロな世界は
「誰かのための人生」を
終わらせることで動きだす。

埋まらないよ、そんな穴じゃ。

逆旅出版

はじめに

32年生きてきて、ようやく分かったことがある。

人生にはくだらないことが多すぎる、ということだ。


若い頃夢中になった、心を抉るような大恋愛。

日が暮れるたびに明日のことを考えて、ロープに手を伸ばすか悩ませた人間関係。

当時の私の人生を左右されるに違いないと思わせた重要だったものたちでさえ、振り返ると全てはくだらない時間の経過のひとつに過ぎなかったことに気づく。


あの頃の私にとっては、死活問題だった。

その悩みを解決することがもっとも重要で、そうしなければ人生は好転しないと信じていた。

だからひたすら「どうしよう」「どうしよう」と、ただ嘆いていたのだ。

寒くて凍えそうな夜に怯え、そして一夜限りでもその不安や孤独から逃れたくて、怪しげに差し込む光にさえ、手を伸ばして縋ろうとした。

だけど、今になって分かる。

きっといくら待てど暮らせど、どれだけ時間を費やして悩み喘いでも、そんなものの解決策は浮かんでこない。

そもそも物事の全ては曖昧で、はっきりとした答えなど存在しないのだから。

そしてそんな夜に誘惑を散らつかせる優しさに、当然ホンモノは存在しない。

だから私が知って欲しいのは、問題の解決の仕方でも、王子様の見つけ方でもない。それよりも伝えたいのは、いつか出会う大切な瞬間のために、何かを正しく手放す方法だ。

どんなにくだらないものに溢れた人生の中にでも、ほんの微量の美しく光り輝く瞬間は、無数に散りばめられている。

やたらと自己主張してくるビビットカラーの「不幸」とは違い、それらは目を向けなければ気づかずに通り過ぎてしまいそうなほどに儚く透明で、存在感に乏しい。

だけどそういうものにこそ、あなたの存在や限られた時間を費やす価値がある。

そしてその瞬間に気づくためには、不必要なものを心から追い出し、スペースを開けておく必要がある。

この本は、ただの恋愛エッセイではない。

幸せの手に入れ方ではなく、何かを手放すための考え方を詰め込んだ。

悩みに寄り添ったり、それを解決しようとするわけではなく、「そんなもんは捨てちまいな」と背中を押す。今の私だからこそ書ける、そんな本にしたくて。

なに、たいていの物は一度逃げたって手放したって、どうにでもなる。

あなたが幸せになる過程に、あなたがすがっている男も環境も、多分必要ない。
そんなものは、捨ててしまえば良い。
どうせそんなもので、あなたの心は埋まらないから。

yuzuka

1

Column

2

3

4

5

Column

1

いい加減、
馬鹿なフリしてモテるの、
辞めにしない?

上手な終電の逃し方を、忘れてしまった。

午後22時の改札で、「またね」というあなたに、「またね」と涼しい顔をする。

本当は引き止めたいくせに。平気なフリをする私は、強いのか弱いのか。


大人になってから、「寂しい」と言えなくなってしまった。

いつのまにかその気持ちの誤魔化し方や取り繕い方を悲しいほどに身につけてしまったし、声を出さずに泣く方法も、自然に愛想笑いする方法も、痛いくらいに知っているから。

何よりも今の私たちは、目の前の誰かに迂闊に抱きついたり、寄りかかったりした先にある虚しい結末が、簡単に想像できてしまう。


だからこそ、時々恋しくなる。

思うがまま無責任に衝動的に終電に飛び乗って、誰かに「寂しい」と甘えることが出来たあの夜や、落ちないマスカラに身を預け、思い存分声を出して泣いたあの夜のことが。

どの夜も後味は良くなかったけれど、今となってはほろ苦い、お酒のアテにはちょうど良い思い出だ。

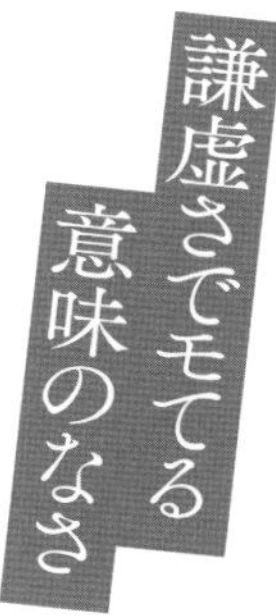

謙虚にいればいるほど、愛されると思っていた時期があった。

口を閉じて黙ってさえいれば、自分の余計な部分を非難されることなどないわけで。「さすが」「知らなかった」「すごい」だけで構成された相槌を、相手が求めているタイミングでテンポ良く打ち返していれば、とりあえずチヤホヤはされたし外すことなく2度目の食事に誘われたから、それこそが正しくて器用な愛され方だと思っていたのだ。

誰かに思っていることを正々堂々と伝えたり、多少喧嘩をしてでも怒る時にはちゃんと怒る女。そういう女は「めんどくさい」とか「メンヘラ」とか「怖い」と言われているのを、何度も耳にしてきた。

だから100回行ったことのある夜景にも「初めて」と言わなければならなかったし、自分の方が遥かに知識があるような内容だったとしても、「物知りだね」と感心する必要があった。だって私はみんなに気に入られたかったし、「メンヘラで怖い」なんて言われたくなかったから。

私の友人に、銀座のホステスとして働く女性がいる。

2人でお酒を嗜むと時事ネタに毒舌で切り込み、間違っている世論に物を申したりもするし、私が怒り狂っている時には同じように怒って罵倒して、そのあと嘘みたいに笑ってくれるような女性だった。

彼女はもともと地頭が良くて芯の強い女性だけど、いざ男を目の前にするとあの頃の私と同じようにバカなふりをする。薄っぺらい世間の文句へもキョトンとした顔で首をかしげて、「そんな難しいこと考えたことがなかった」と感心するのだ。

ある打ち合わせと言う名の接待で一緒になった時、2人きりになる瞬間があった。私たちは誰かの自慢話にひたすら相槌を打ち、共感し続けたせいで首がもげそうなくらいだった。

男性陣が席を離れたほんの少しの時間。彼女は男たちが食べ散らかしたテーブルの上を整理しながら、寂しそうな顔で言った。

「男は真っ白なキャンパスが欲しいだけ。既に絵が描かれていたら、興味を失うの。それがどれだけ才能に溢れていても関係がない。自分の手で初めて彩れて、そして汚せるものにしか興味がないのよ。つまんないよね」

私は彼女の頭が良いところが好きで、経験豊富なところを尊敬していて、毒舌なところも最高に面白いと思っていた。

だけどそんな彼女の魅力全てを覆い隠さなければ、この席では白い目で見られるのだという現実に、なんだか目まいがした。なんてくだらない世界なのだろうと思った。

さて、この本では、私がそんな自分を解放したきっかけについて話をしたい。

それは、当時勤めていた看護師を辞めて物書きとして活動を本格化させた時だった。

今までは誰にどう思われるかをいつも気にして、あたりさわりない綺麗な自分を演出しなければ嫌われる、評価されないと思っていた私が、全てを曝け出さなくてはいけないのが、この作家で、ライターという仕事だった。

とくにインタビューや売り込みでは、取り繕っている時間なんてない。初対面のたった10分間で、「この人になら話して良い」と思ってもらったり、「この人の話を聞いてみたい」と思わせたりしなければならないのだ。

今までのように、相手の言うことをただ黙って聞いているだけでは認めてもらえないような現場だった。

そこで私は嫌われても良いから、ややこしいと思われても良いから全てをさらけ出そうと、自分の一番知られたくない過去や、見られたくない部分を自己開示するようになった。

「体を売って稼いでいました」
「親は捨てても良いと思っています」
「電気やガスが止まるほどの貧乏を経験しました」

始めは本当に緊張した。こんなことを口にしたら、途端に嘲笑されるのではないかという内容だったから。

いつもの飲み会の光景が頭に浮かんでくる。あの場所でこんな風に自己紹介したら、きっと男たちは顔を真っ赤にして、そして吹き出すように笑い出すのではないだろうか。

だけど顔をあげてみると、そこにそんな人達はいなかった。

いや、いたのかも知れないけれど、それが気にならないほどにもっと多くの人が、私の声を聞き、そしてその全てを受け入れてくれた。

「めちゃくちゃ面白いですね。それ、うちで書きませんか?」

当時初めて会った、私が物書きを始めるきっかけとなった媒体の編集者に伝えた時も、彼は大真面目な顔でそう言った。そこに嘲笑や、軽蔑はなかった。それと同時に、今まで相槌マシーンと化していた私が感じたことのないような本当の意味で認められたという実感があった。

この人たちは、私の言葉を聞いてくれている。

私がちゃんと向き合って「本当」をさらけ出した相手は、向こうも「本当」をさらけ出してくれるのだ。そしてそういう人たちは、私が意見を言っても、相槌を打つのを辞めても、絶対につまらなそうな顔などしなかった。同時に、今まで関わってきた男たちのように、最初からタメ口で話しかけてきたり、初対面で当たり前のようにドライブデートに誘ったりすることもなかった。

残念ながら現代は、まだまだ男女平等とは言えない。だから私の友人があの時言ったような白いキャンバスにしか興味のない男はたくさんいると思う。

そして彼らにとって私は汚れたみすぼらしい画用紙なのだから、目につけばきっと踏みつけられ、罵倒されるかもしれない。事実いまだに何かの記事が表に出るたび、私の過去を引っ張り出してきて馬鹿にしてくる輩は一定数存在するのだ。

だけど、それがなんだろう。そんな奴らに評価されて、なんになる。私は今までそんな奴らに認められようと、必死で自分を押し殺してきたことを後悔している。

自分をさらけ出すことで、確かに不特定多数に浅く広く気に入られることはなくなってしまうと思う。

だけど自分をさらけ出した先にそれを面白いと言ってくれる人を1人でも見つけられ

たら、逃げ出して散っていった奴らなんかよりも、そのたった1人を見つけられたことに価値があると、私は思う。


そういう人を1人ずつ、増やしていく。

そうすれば、あなたの人生は本当のあなたを認めてくれる人で構成され、いずれ不特定多数の誰か、つまりは世間に否定されることになど、怯えなくなる。

だって何があったとしても、その人の元に帰りさえすれば、「おもしろいやん」と笑い飛ばしてもらえるから。どんなに満身創痍のあなたでも、変わらずに愛してくれるから。どれだけ周囲の人たちがあなたを馬鹿にしても、その人はあなたを馬鹿にしたりはしないから。


今となって言えるのは、本当の自分をさらけ出した時に、馬鹿にしたり、はたまた逃げ出すような相手は、さっさと放流してしまうべきだということだ。

本当の意味であなたを理解し、大切にしてくれる人は、山程いる。そんな人を見つけ、そして自分も大切にする。押し殺しておとなしそうに振る舞って手に入る誰かより、思いっきり怒り、大口で笑い、そして泣いた先に愛してくれる誰かを見つけた方が良い。

「さすがですね」とむやみやたらにその言葉を口にしなくなってから、私は生きることが楽になった。楽しくなった。

随分会っていないけど、あの時一緒に相槌だけを打って疲れ果てていたあの子は、今どうしているのだろう。今度あの子にあったら、ちゃんと口に出して伝えたいと思っている。

「あなたのままの色で描かれたキャンパス、私は大好きだよ」って。

幸せになりたきゃ、ヤドカリ精神を捨てろ

気づいたら、という言葉が最も近いのではないだろうか。

いつからこんなに自堕落になり果てたかなんて、遡っても明確な境目はない。

思い返してみれば小学生の頃から配られたプリントをなくさなかったことがないし、お道具箱はいつもゴミで溢れていて、その奥に眠った弁当箱にはしょっちゅうカビをはやしていた。


だらしがないのだ。おそろしいほどに。

誰もが日常の中でちゃんとやってのける自分のための何かってやつを、私は一切、してこなかった。


そういえば、自分で傘を持ったことがない。

授業のノートをとったこともなければ、コンビニのおにぎりの包装のはぎ方を知った

のも最近だ。

だけど私の周りには、いつもそれをどうにかしようと世話をやいてくれる誰かがいて、運の良いことに変人扱いをされたり、社会からはみ出したりすることもなかった。

それどころか生徒会長に選ばれてみたり、卒業式でも生徒代表として答辞を読んだりしたくらいだったのだからフシギだ。

私の周りにはいつも優しい誰かがいて、雨が降れば誰かが傘に入れてくれたし、授業のノートは誰かがうつさせてくれたし。

コンビニのおにぎりだって、「やって」と言わずとも、「あんたはいつもできないんだから」って、誰かが勝手に包装をはがして、与えてくれた。

私はそんな人たちの優しさに身を委ねながら、あたかも自分自身でしっかりと立っているかのような顔をして、生きていた。

特別可愛いだとか、甘え上手だったわけでもないと思う。

だけど不思議なことに生まれつき、誰かに手を差し伸べられる性質があった。そしてそれをぼんやりと受け入れることで、私の人生はすんなりとすすんでいった。そうやって、私はいつのまにか大人になった。

でも、私の自堕落さはそうも都合よくはできていないらしい。真っ当に生きてきたつもりだったのに、社会人になると、私が今まで散々助けられてきた集団生活というものがなくなった。

当たり前だけど、誰もがそれぞれ自分自身のために生きていたのだ。

人生をそつなく生きるために、覚えておかなくてはならないことがある。

それは「結局、人は自分が一番大切」だということだ。

これはとてつもなく重要なことにも関わらず、義務教育では教えてもらえない。だけどこの言葉を実感するタイミングは、生きていれば何度もやってくる。

冒頭のような生活を繰り返していた私はいつしかそれを異性に求めるようになった。自分の足で立つ代わりに、誰かに寄りかかることを前提に近づき、まるっと全てを与えられ、それを当たり前のように受け入れた。

「誰かに全てを与えてもらうということは、その人に全てを奪われるのと同じだ」と言う言葉を何度か呟いたことがある。

その日暮らしで誰かの家を転々とする私に、いつしかの男が言った。

「ヤドカリみたいだよね」

肥大化していく自分に合わせて、その日暮しで住む場所も外見もコロコロと変えていく私は、確かにヤドカリだった。

さて、ヤドカリの生涯とはどんなものだろう。

ヤドカリ達は常に宿不足で、酷い時は既に住み着いているヤドカリを追い出してまでその住居を手に入れようとする。だけどその殻はあくまで借り物。カタツムリとは違って自分の状況や変化に合わせて変わってはくれない。

争い、探し、争い、探し、そしてしがみつく。

因みに「ヤドカリは死ぬ時に宿から出る」と言うのは勘違いで、生きている時、貝殻から抜け出ないように、奥のほうにある脚で踏んばっているらしい。

だけど死んでしまうと同時に踏んばる力を無くしてしまう。その死んだヤドカリを外にいる生き物達が引きずりだし、餌にしている様子からその勘違いが生まれたらしいが、その一生はまるで私の未来を見ているようで、少し身ぶるいをした。


何かを与えてもらった時、それをまるで自分の手柄や価値だと勘違いしてしまう人がいる。かつては私もそうだった。

だけど実際にそれは自分のものなんかではなくて、与えられたことで植え付けられる取り上げられる恐怖は、決して健全なものとは言えない。

自分で作り上げてきたものとは違って、人から与えられたものは、とりあげられたら何も残らない。


それに、与える側は大抵無責任なのだ。

「僕が全部用意するからいいよ」と大海原に連れ出しておいて、突然「やっぱり気が変わったから」と丸裸のあなたを海に放り出す。

僕があげるからいらないよね、と取り上げられることに全て同意していると、いざ1人になったとき、あなたには何も残らない。

ここまで書くと、それじゃあ依存心をかなぐり捨て、1人で生きていけば良いのかと受け取られそうだが、そうではない。私は人は1人では生きていけないと充分に理解している。では何を捨てれば良いのかと言うと、恐らくそれは「ヤドカリ精神」だと思う。

自分の価値を見誤り、他人から与えられてしか生きていけないという勘違い。その勘違いがあなたの人生を生きづらくしている。だって本当は殻から出たあなたこそが本来の姿で、きっとその姿でだって、生きていける。

誰かや何かに頼っても良い。依存しても構わない。
与えられたものを素直に受け取り続ける人生も悪くはない。

だけどあなたには、殻の外に出ても生きていけると言う自信を持ってほしい。そして根っこにある自分自身の大切なものだけは、絶対に離さず持ち続けていてほしい。

全てを取り上げられた時に、自分の足で立っていられるように。

さて、ヤドカリ精神丸出しで生きてきた私がどうなったか。

今では殻を捨て、自分１人の収入で暮らし、犬とお腹の子を養えるまでの立派な母になった。

今では傘も自分でさしながら、犬にカッパを着せてやる。

使い古された言葉だけれど、人間誰しもやればできるのである。

片思いは、放っておくと死にます

片思いというのはどうしてああも美しいのだろう。

恋をしている相手といる時間。それはまるでスノードームの中にある、閉じ込められたいつかの一瞬が永遠に続いているような感覚だ。あまりにも尊いその感情を忘れたくなくて、何度も何度も繰り返しひっくり返しては眺めて、その瞬間を思い出す。噛み締めて、いつまでも守っていたいから。


片思いといえば、私はある夜を思い出す。

当時深い恋をしていた私は、ようやくこじつけた彼との食事デートのために、何ヶ月も前から気合いを入れていた。

その日に合わせて筋トレのメニューを組み、美容院を予約し、「美しさは日々の積み重ねから！」と、毎日ボディークリームを塗りたくって。そうやって迎えた当日はドキドキしてたまらなくて、向かう電車の中、頭で何度も何度もシュミレーションしたことを思い出す。
まるで当然かのように演出した、史上最高の自分で。会えたら最高の笑顔で「久しぶり」って言うんだ。これを伝えよう。あれも伝えよう。そういえばあれも聞きたい。これも聞きたい。

だけど実際に待ち合わせ場所に到着すると、途端に不安でたまらなくなる。
定番の待ち合わせスポットにいる私以外の女の子たちがあまりにも眩しくて、これから私なんかと食事をする彼が不憫に思えてくるのだ。

結局いたたまれなくなって人のいないゴミ箱の前で待っていた私の前に現れた彼のあまりに眩しい笑顔に頭の中が真っ白になり、「久しぶり」も満足に言えなかった。

デートの結果は撃沈。
せっかく行ったレストランでは緊張で食事も喉を通らず、不自然につなげようとする会話はあまりにも露骨で、彼の笑顔が全て愛想笑いに見えてしまう始末。2軒目に誘う勇気も気力もなく、結局2時間ポッキリで、「じゃあね」とあっさり、私は彼と解散した。

「またね」

かろうじて「もう一度会いたい」のメッセージを込めた一言を、改札に消えていく彼の背中に向かってつぶやく。蒸し暑い渋谷の街で1人になった私は思わず大きくため息をついて、だけど少しだけほっとしていた。

あれだけ準備をして練習していたのに、いざ彼を目の前にすると余裕がなくなって、何もうまくできなくなってしまう。なんて勿体無いことをしたのだろう。次はいつ会えるかも分からないのに。後悔に鼻の奥をツンとさせながら、忙しなく人が行き交うその街で、ひとりだけ時間が止まったみたいに、しばらく立ち尽くしてていた。

今思えば苦しく思えた、失敗したと後悔したあの夜でさえ、愛おしくてしかたない思い出だ。甘酸っぱくて、だけど苦くて。あの味がどれだけ私の人生を彩っただろう。

あの頃の私は意識していなかったのだ。

人はいずれ、「片思い」が存在しない世界に生きることを。

あれから年齢を重ね、私は既婚者になった。恐らくもうこの先、あれだけ胸を焦がす純粋な片思いを経験することはないと思う。

安定した別の幸せの中、ひとつひとつの恋に未練はないのに、それでも今でもときどきいくつものあの夜を思い出して胸がぎゅっと締め付けられる。


実らなかった恋も、実ったけれどうまくいかなかった恋も。

そのどれにも後悔はないけれど、だけどももしも今現在、同じような夜にいる女の子がいるとしたら、「その恋を大切にしすぎないで」って伝えたい。


片思いはあまりに綺麗で、少しでも傷つけるとその形を失ってしまいそうなくらいに儚くて。私たちはどうしても慎重になってしまう。

ひとつひとつの言葉に気を使ってしまうがゆえに、伝えたいことも伝えられないまま終わった恋も少なくはない。


だけど今の私からすれば、それはあまりにも勿体無いと感じるのだ。

誰かを好きになれた、誰かを大切に思えたその奇跡を、どうか自分の力で輝かせてほしい。

触れるのを恐れて眺めるだけにとどめるのではなく、恐れずに、だけどそっと一歩踏み出してみてほしい。そしてできるだけ素直に、「好きだ」と相手に伝えてほしい。
もしもそれで崩れてしまっても、あなたは絶対に後悔しないから。約束する。

もしも後悔するとしたら、触れられないままにその恋が、片思いのままで枯れてしまった時だ。
あなたの心にあるその小さな、だけど熱を持った温度が何かの拍子でふと消えてしまった時、きっとあなたは後悔する。もっと大事にすればよかった、踏み込めばよかったと。

人との永遠の別れは、いつだってあっさり、それも姿を隠しながらやってくる。
「これが最後ですね」と言い合ってお辞儀をして別れるなんて、都合よく分かりやすいものばかりではないのが人生なのである。

「じゃあね、またね」と言ったその夜や、「今度映画見に行こうね」と約束して見送ったあの日や、何も言えず次に会った時にと後悔しながら見送ったあの瞬間が、その人との最後の日になるかもしれない。

私の一番の片思いは、あの日、彼の背中に向けて「またね」と言った日に終わってしまった。あれからその彼とは会っていないし、多分この先会うこともない。

だからこうして何度もあの夜を思い出し、胸がしめつけられるのだ。

もしもあの夜、私が一歩踏み込んでいたら。

もしかすると人生は、変わっていたかもしれない。

だから今その夜にいるあなたに伝えたい。

その恋を大切にしすぎないで。彼を追いかけて手を握らなければ繋げない未来があるかもしれないよ、なんてね。

どうしようもない男を捨てられないあなたもどうしようもない

若い頃の私と同じような恋愛依存気味の女たちにとって、その時の恋人や夫は世界の中心であり、なかなか手放すことのできない存在である。

趣味も好みも友人も、自分に関わる主要なもの全てがその男にまつわるものばかりで構成されていて、細かい糸のように絡まり、気づいたときにはまるで蜘蛛の巣にかかった無力な虫のように身動きが取れなくなってしまっているのだ。

相手にどれだけ傷つけられても、酷い扱いを受けていても。いなくなってしまうと自分の世界ごと崩壊するような気がして、離れることなんて考えられない。

蜘蛛の巣から解放されることよりも、解けた糸から落下して、その衝撃で死んでしまうことを恐れている。どう考えたってそこにいた方が、じわじわと苦しんで殺されていくだけなのに。

「そんな男、辞めときなよ」

何度も言われて、そして何度も言ってきた言葉だ。

恋愛というのは数ある人間関係の中で最も客観視しにくい、やっかいなものだと思っている。

側から見ればそれはもう明らかに『クズ男』であったとしても、渦中にいる本人には正真正銘『王子様』に見えているものだからたちが悪い。

愚痴をこぼすたびに友人から「もう別れなよ」と口酸っぱくアドバイスをされたところで、本人の中にそんな選択肢はありえないものだから、「だけどさ……」と、のらりくらりと交わしてしまう。しまいには「だけど良いところもあって」とか、「だけど彼は私のことを本気で……」といつの間にか説得モードにまで陥り、相談を受けている友人もタジタジといったところである。

そのうち本気でアドバイスするのに疲れた周囲が距離を置き始め、気づいた時には本当の意味で誰もいないものだから、ますます相手と離れづらくなる。

さて、こういった類の恋愛コラムは手を替え、品を替え言葉を変えて何度も綴ってきたから、そんなに長々と書き連ねる気はない。

だけど人生をよくするために、クソみたいな相手を捨てることは最重要事項だから、触れないわけにもいかずにこうやってまた、文章を綴っている。

ぐだぐだと説得せず今回はシンプルに、どういった相手をどのように手放すべきかをここに記す。

まずは恋愛の相談の中でいつも繰り返される問い、「彼は私を愛していないのでしょうか」「大切にしてくれているかどうか、見極める方法はなんですか？」に答えておこうと思う。


そもそもその問いに辿り着き、長い時間ふさぎこませる相手という時点で問題はあるのだろうが、だからと言ってよくないと判断するには早い。

このような質問を受けて私がまず確認をするのは、「その気持ち全部、彼に話してみたことがある？」という部分だ。

私が問いかけると、大抵は「彼にはずっと言えず我慢してきた」という答えが返ってくる。

前述したような質問をぶつけてくる質問者には、ある共通の特徴がある。
とにかく質問文が長文であることだ。それはもう事細かく、何年分もの不安や不満を、ネットで見つけた見ず知らずの私のためにまとめ、送信してくる。

みるからに切実で、きっと辛かったのだろう、そして相当に溜め込んでいたのだろうなと感じる。きっと藁にもすがる思いで、今まで言えなかった本音を私に吐き出したのだろう。

だけど重要なのは、もしもたったの一度さえも本人に直接その気持ちをぶつけたことがないのであれば、その不満や不安が、今のところ最重要人物であるその相手には全く伝わっていない、ということだ。

親しい友人や、はたまた私のようなネットの住民にいくら気持ちを上手く説明したところで、当の本人には彼女たちが不安に感じていることさえも伝わっていなかったりする。寝耳に水とはこのことだし、そんな状況の中で、第三者に答えを求めることじたいが間違っている。

しかし一方で、この質問はテーマのひとつである「どういった相手を捨てるべきか」に関わってくる。

その相手を手放すべきかどうかを決める時、どれだけ嫌なことをされたかの不満のカウントは、実はそんなに目安にはならない。

人は皆自分の価値観を持って、その価値観に基づいて自分のために生きているわけで、そんな中、他者にとって何が不快か、相手の価値観までは完璧に把握することなどできないし、よって自発的に地雷を避けることは想像よりも難しいのだ。

だけどもしも大切な相手であれば。
勿論できるだけ地雷を踏むことは避けたいし、だからこそその地雷がどこにあるかを知りたくなるはずだ。

そこで重要になってくるのが「話し合い」である。

相手になにかをされて不満に思ったら、まずはそれを上手く相手に伝える必要がある。

「あなたは今まさに私の地雷を踏みつつあるから話し合って回避したい」と、申告するのである。

そこで聞く耳を持ち、話し合いに応じてくれる相手は、ほぼ間違いなくあなたのことを大切に思っている。

例えその人があなたを傷つけてしまったのだとしても、その事実に耳を傾け、理解する努力をしてくれる相手なのであれば、まだまだ絶望的ではない。今はあなたにとって多少無神経であっても、磨けば光る原石の可能性だってある。

だから私は、どんな種類の相談であっても、大抵は「それ、彼に伝えた？」と、まずは問いかける。

何か嫌なことをされたから、だからその相手は捨てるべき相手。という短略的な考えでも良いが、私はその一歩先、その不満の全てを伝えてみたうえで彼がとった行動にこそフォーカスするべきだと思っているからである。

もしもあなたがいくら涙ながらに思いを訴えてもそっぽを向いて話し合いに応じないのであれば、あなたのことを大切になど思っていないだろうし、まさしく今すぐ手放すべき相手であろう。

では、見極め方が分かった今、そんな手放すべき相手を、どうやって手放すのか。一見簡単そうに見えて、このプロセスが一番難しい。

恋愛というのは総じて頭と心が別方向に動きがちで、「別れた方が良いと頭では分かっていても心が離れたくないと叫んでいる」のような残酷なドラマチックモードに陥ってしまいがちだからである。

だけどここでは、それを理解したうえであえて厳しく、シンプルなアドバイスに留める。もしもあなたが本気でそのどんよりとした人生を捨て、前を向きたいのなら。その過程で、その男を捨てるべきであると頭で理解しているのであれば、とにもかくにも「最後の一回」を辞めるべき。これに尽きる。

今、手放そうと決意したこの瞬間から、あなたは相手への未練を断ち切る覚悟を持たなければならない。

「どうせ手放すのだから、最後に会って笑ってデートをしよう」などと、甘い考えをめぐらせるべきではない。私はこの「最後の一回」が最後になったケースを、ほとんどみたことがない。

結局「会うの、ほんまにこれで最後にする！荷物渡して、言いたいことだけ言うてくるわ！」などと言いながら毛を剃り、ボディクリームを塗り、勝負下着を身につけて待ち合わせ場所に向かうまでがセットである。

「最後に」なんて言いつつ、結局は会いたいだけ。甘えたいだけ。現実から目を背けたいだけ。会ってしまえば最後、相手の甘い言葉にほだされて「もう一度だけ信じてみようかな」と、また同じようにほだされることが目に見えている。それじゃあ、あなたの人生は何も変わらない。

「だって忘れられないから」という人がいるが、前提を間違えている。

そもそも記憶が消えることなんて、一生涯ないのである。

相手との初デートも、初キスも、同棲したアパートの最寄り駅も。きっとあなたがお婆さんになっても、頭の片隅には残っているはずだ。

じゃあ、その失恋の辛さはどのタイミングで薄れていくのか。

それは、「忘れていった先」ではなく、「平気になっていった先」に訪れると思う。

断言しよう。その男を捨てた3年後、あなたは間違いなく清々しい顔でこう言うだろう。


「なんであんな奴が好きやったか分からへん」


相手の顔も、名前も、一緒に行った場所も変わらずに覚えていると思う。だけどあなたの胸は、その風景を思い出してもきゅんと縮こまったりしない。何も感じない。それは「切ない思い出」から、「ただの記憶」になる。

いつかの汚かった公園のトイレを思い出すのと同じようなテンションで、「ああ、そんなこともあったね」と苦笑いをしながら言える日が、必ずやってくる。


そのために必要なのは、対象と物理的に距離を置くこと。

気持ちが消えることを待ってから動くのではなく、まずは行動に移す。とにもかくにも覚悟を持ち、「手放そう」と決め、そして実際に手放してしまうことが大切なのである。

恋愛、ギャンブル、お酒。なんでもそう。悪い依存を断ち切る方法はたったひとつ。「最後の一回」を辞めることだ。

私はいつも、「相手は死んだと思え」と伝える。

ＳＮＳは全てブロックし、思い出の写真も根こそぎゴミ箱行き。たしかに最初は辛いが、行動に移せばあとから気持ちはついてくる。

そうやって断ち切った先、蜘蛛の糸を逃れたあなたは、外の世界が思ったよりも広く、自由で、そして選択肢に満ち溢れていることに気づくだろう。

あとは自分の足で歩いていくだけだ。二度と悪しき蜘蛛に捕まらぬよう、自分の足で。

Column

結局記憶に残るのは、「大恋愛」よりも「良い恋愛」だ

時々、同じ夢を見る。

そこに出てくるのは、とくに未練もなくあっさりと別れた数年前の恋人だ。私を一切傷つけなかった温和な彼を、「退屈だ」という理由だけで同棲していたマンションから追い出したような、酷い終わり方をした恋愛だった。

私が怒れば一緒に怒ってくれて、喜べば一緒に褒めてくれて、死にたいと言えば一緒に死んでも良いよと寄り添ってくれる人だった。

突然「別れてほしい」と言った私の決断を責めることもなく、彼は「ご

めんね。分かったよ」と受け入れた。

最後の日、玄関先で「最後に抱きしめても良い？」と言った彼に、「嫌だ」と答えた時も、「そうだよね。体にだけは気をつけるんだよ。ちゃんと食べて時々運動してね」と寂しく笑った。

当時の私はその優しささえも鬱陶しくて、拒絶した。どうしてあんなに反発していたのか、今の自分には説明ができないほどに。


いつも見るその夢はやたらとリアルで、まるであの時選ばなかった選択肢の続きにいるような錯覚を起こす。


もう何年も降りていないその時住んでいた最寄りの駅に降り立った私は、駅前のコンビニでいつもの缶ビールを買う。

「ありがとうございました」いつも接客してくれる、癖のある店長の声。

駅から数分、あの時お気に入りだったワンピースを着た今より少し若い私は、彼の待つ部屋の鍵をあける。

Column

ふたりで暮らしていた部屋が見えると同時に、ふわっとした懐かしい料理の匂いにあたたかい暖房の熱気が混じり込んだようなボワッとした風が漏れ出てくる。

それだけで全身の力が抜けて、眠くなるような安堵感に包まれた。

私が気だるそうに「ただいま」と言うと、いつものルームウェアを身に纏った彼が、玄関先で出迎える。「おかえり。体調大丈夫?」と。

そういえばあの頃、私はいつも体調が悪かった。しょっちゅう微熱を出してフラフラしながら帰宅すると、彼はいつも料理を作って待ってくれていたんだっけ。

あまりの懐かしさと暖かさに胸がぎゅっと掴まれる。

「あの時はごめんね」と泣いてしまいたくなった。言いたい言葉が溢れると同時に、ちくっとした感覚で現実に戻される。

目が覚めて、今まで見ていた情景が夢だったことを悟る。一緒に寝ている飼い犬が寝返りを打った時にあたった爪先が、私を現実に引き戻したことを知る。
暗い寝室の中で、夫のいびきと犬の愛おしい寝息が聞こえ、ボーッとしている私に何かを言いたいかのように、お腹の中にいる息子が子宮を蹴り上げた。

布団の中で天井を眺めながら、ああ、私はもう随分違うところまで歩いてきたのだな、と思う。言いようのない寂しさと、そんな感情に胸を詰まらせる罪悪感に押しつぶされて、泣いてしまいそうになった。

朝の寒い風にブルっと震える犬の体と、夫の体からはがれている毛布をかけなおし、お腹を優しく撫ぜながら考える。

戻りたいわけでもないし、今の私は幸せなのに。それなのにどうして、時々チラつく「選ばなかった過去」に心を刺される夜があるのだろう。自分の感情を長く、うまく吐き出せずにいた。

Column

生きる時間が長くなると、「戻れない場所」が増えていくことに気付く。

若い頃であれば「もしも駄目だったらもう一度ここに戻ってきたらいいんだから」と軽率に選べていた小さな選択にさえ、今の私は少し慎重だ。

それは、選ばなかった選択肢の向こう側に行くことがおそらく永遠にないと知ったからだ。


夢の中にあるあの頃の風景だって、今はもうない。当時よく通っていた夢に出てくるあのコンビニでさえ、とっくに潰れて別の大手コンビニに成り代わり、レジには外国人のアルバイトが立っている。

当時いた癖のある店長さえとっくにいない。

あの空間に、あの頃の時間は流れていない。

私が住んでいたあのアパートも、使っていた駅も、いつのまにか改装されて新しくなっているらしい。

「こんな毎日が永遠に続くなんて退屈で耐えられない」と思っていたあの当時の私に、教えてあげたい。意識を持って大切に守り続けない限り、どれだけ何気ない日常にも終わりがくるということを。

当時付き合っていた恋人も私も結婚をしてあの街からはとっくの昔に離れているし、もうお互いの連絡先だって知らない。もしも今軽い気持ちで連絡をとったら、それこそあの頃の風景とは似ても似つかぬ、気まずい再会が待っているだけだろう。

そして私は、それを望んでいない。

そもそも美化された思い出に浸ることはあっても、それが「未練」となって過去に戻りたくなるわけではないのである。彼に、現実世界で会いたいとは思わない。今の私には守る場所や存在があって、充分に幸せだから。

だけどそういう過去を振り返った時に、明確にみえることがある。

それは良い恋愛とは何か、という問いへの、私なりの結論だ。

Column

多くの恋愛をした中で、いつも夢に出てくる彼以上に魅力を感じた相手もいたし、所謂大恋愛と言われるような心をすり減らした必死な恋だってあった。

だけど当時、「彼以上はいない」とか、「一生忘れられない」と泣いて泣いて泣いたそういう恋愛たちに関しては、大人になった今、ちっとも心に残っていないし、夢に出て来ることもない。

これは私にとって意外な結果だった。

辛い思いをして引きずった恋愛は、時間が経ってもずっと心にへばりついて離れないと思っていたのだから。だけど実際に去ってしまったあとは、あれだけしつこかった感情達が、嘘のようにさらっと剥がれ落ちて、そこにいた形跡すら残していない。

必死に思い起こそうとしても、「なんであんな奴が好きだったんだろう」という感情しか湧かず、一緒に見た映画のタイトルすらまともに思い出せないくらいだから驚きだ。

一方今でも思い出す恋愛は、そういう自分を削って傷ついた相手を好きでたまらなかった恋ではなくて、相手に大切にされて穏やかに育んでいた、当時の私からすると退屈だったものばかりだ。

戻りたいとは思わない。だけど、「良い恋愛だったな」と今でも思い出し、私の心をあたたかくさせる。

今の冷静な私には分かる。刺激的な恋に未来はなく、あってもくだらないか、その道の先でボロボロな自分が震えているだけだ。

だけど、穏やかな恋愛は違う。もしもあの時私がもっと大人だったら。もしかすると大切に育てていたその関係性の先に、今とは違う幸せな未来が繋がっていたかもしれないと、想像ができる。

結果として、今の私は現状に満足しているし幸せだ。だけどもし今選択の渦中にいる誰かがこの文章を読んでいるのだとしたら、伝えたいのだ。

Column

心をすり減らし、相手を追いかける恋愛は一見魅力的で運命のようにも感じて、縋りつきたくなってしまう。いくら穏やかな誰かがあなたに手を差し伸べても、「つまらなさそうだ」と感じて跳ね除けたくなるかもしれない。

だけど、もう一度精査してほしい。
長期的にみて、本当にあなたを幸せにしてくれる相手は誰かということを。

そのうえで、ときめきだけの恋愛は捨てること。愛する恋愛よりも、愛される恋愛を選ぶこと。その結果、どう転んだとしても、多分そういう選択ができる人が、本当に良い恋愛にたどり着けるのだと思うから。

幸せな今を生きながら、「あの頃」に後ろ髪を引かれることに罪悪感を感じていた私だが、今はそんな自分も悪くはないと思う。
人に大切にされた経験がある人は、誰かのことも大切にできる。

何より、「あの人にも幸せになってほしいな」と心から思える相手が存在することは、恨む相手ばかりの人生に比べてみたら、ささやかな幸せだとさえ思える。

2

30代、もう荷物はいっぱい。
前に進みたいのなら、
何かを選ぶのではなく、
何かを捨てよ

背中合わせに寝っ転がる。今日も聞きたいことが聞けないまま、こうして1日が終わっていく。深夜0時、不意にふっと笑った私に、もぞっと、君の体が動くのが伝わる。

聞かないのね、なんで笑ったのって。

じんわりと背中ごしに感じる温度の中に君の気持ちを想像しようとして、そんな自分がばからしくって、少し笑えたんだ。

そういえばね、「ひとりぼっちの寂しさなんて、たいしたことないんだよ」って、いつかの誰かが私にそう言って、その時はピンとこないから「ふーん」ってあしらってしまったけど。ずっとぼんやりとモヤがかかっていて思い出せなかったその時の相手の表情を、今日ふと思い出して、はっとしたんだよね。

すごく寂しそうだった。苦しそうだった。崩れてしまいそうだった。今の私みたいに。

誰かがいるのに寂しいことがあるなんて、あの頃は知らなかった。知ってもきっと、「ばかみたい」って笑ったかもしれない。

だけどさ、今の私なら分かるよ、あの人の気持ち。だからさ、ごめんね、あの時は。

いつかの誰かに謝りながら、無意味な反省にじわりと目頭が濡れる。そうやってぼんやりしながら、今日もじんわりと、氷がジュースにぬるく溶けているように、ゆっくり、ゆっくり、体がベッドに取り込まれていく。

1日が終わる。今日も、1日がおわってしまう。

賞味期限の切れた同棲生活にピリオドを

日常の歪みを整えるその時間に、本来の自分のリズムを見つけようとした。靴の向きを揃える、空き缶をゴミ袋にうつす、トイレットペーパーをかえる。ひとつひとつをこなしながら、私は3日間、ここにはいなかったのだと実感する。整えた先にある「いつも通り」が、やけに不自然に感じ、居心地が悪かった。

正確に言えば、肉体はここにあったのだ。1日たりともこの部屋を完全に離れることなく、私は律儀にここへ帰ってきていた。だけどありとあらゆる染み付いたにおいが、私の精神を遠い場所に置き去りにした。

どこかのコラムや書いた本で、恋愛の賞味期限の話をしたことがある。

どれだけその人に嫌悪感がなくとも、恋愛としての関係性が終わりを迎えているケースは、悲しいけれど存在している。その終わりはあまりにじんわりとしていて日常との境界線が曖昧だから、気付きにくく、仮に気づいたとしても「終わりだね」と口にすることを戸惑ってしまう。

「愛してるけど、好きじゃない」

私の敬愛する脚本家、坂本裕二さんが書いたセリフはまさにその状況を言い当ててい
る。

このまま続いていくことも「アリ」なのかもしれないな、と思う。

というより実際世の中の夫婦の多くはこんなもので、愛情や性欲が無くなったとして
も、パートナーとしてうまくやっていくのではないか、それが正解なのではないかと自
問自答してみる。

愛しているけど、好きじゃない。

嫌いじゃないけれど、もう好きには戻れない。

そして片方がそんなことを考え始めている段階で、大体はその相手も同じようなこと
をぼんやりと考えていて。お互いの妥協の中で、「なんとなく違うな」を噛み殺して生活

している状況なのである。

こんな状態が起こりやすいのが、同棲という曖昧な関係性である。正式に家族にはなっていないけれど、同じシャンプーとトイレを毎日使い、一緒に食べて、一緒に寝る。覚悟や責任を置き去りにした「夫婦ごっこ」とでも言おうか。そんな関係性だからこそ、長くなれば長くなるほど「なんか違うな」が増えていく。結婚と違ってお互い別の選択肢も軽々しく浮かんでくるものだから、それは余計に鮮明になっていく。

本当にこの人で良いのか？この人以外にいい人なんて、いくらでもいるのでは？

結婚と同棲の違いはほとんど紙の上だけのように思えるけれど、そのたかが紙の契約をする覚悟があるかないか、という点では関係性の重みが違ってくるだろう。

かくいう私も過去、4年間付き合って同棲をしていた彼と長らくそんな「なんか違うな」の関係が続いていたことがある。

お互いに大きな不満はなく、なんなら結婚の話さえも出ていた。だけど実際にことが進行しそうになると、あれやこれやと理由をつけて後回しにしていた私たちは、やっぱりお互いに賞味期限が切れてしまったことに薄らと気づいていて、気付きながらも見てみぬふりをしていたのである。

相手が浮気をしたわけでも、何か不義理を働いたわけではない。
だけどもう、好きじゃない。

明確な理由がないからこそ、費やした時間の長さと、それだけ積み重ねてきた情のようなものを振り切るだけの理由が見つからなかった。「好きじゃない」だけで、それらを捨てて新しい生活を始めるのは、果たして正しい選択なのだろうか。
でも確かに、あの頃の私は目標を失っていた。

2人の部屋へ肉体だけで帰って来て、ただ、毎日を生きる。
暮らさずに、生きていた。

そこに愛はなかったのだ。それでも何かしら、かけがえのないものが存在しているような気がして、それを捨てられなかった。

だけどそんな日が続いた先で明確に、終わらせなければならないと思った瞬間がある。部屋でぼんやりとしている時に、3日前に置いたままの飲みかけのペットボトルと、その先のキッチンにある洗われていない食器が目に入った時だった。

明日のためにその部屋を正そうと思えない自分に気づいた。その人のために掃除をすることも、料理をすることも思い浮かばなかった。ぼんやりとそれらの残骸を見つめてみても、その気持ちは変わらなかった。

終わったのだ、と思った。

もしもこの気持ちを押し殺してこの部屋を片付けたとしても、もうすでに、片付いたあとにすべてがもとに戻るとは思えなかった。その時また、「それが幸せだ」という誰かの言葉を思い出していた。幸せは思い込みであり、思い込まなければ、誰も幸せにはなれないのだ、と。

だけどその言葉さえ飲み込めないほど、私の心はこの先に続く変わりない日常を、明確に拒否していた。


ずいぶん前から、気づいていた。

この先に未来がないことなんて。

無理やり紡ぎ出した先に満足のいく空間なんてなくて、きっと私はそこで足を放り出し、大声で泣いているはずだ。だけどどうしても終わらせられなかった自分に、腹が立った。


結局私が「別れたい」と口に出した時、彼は同じような表情で「僕もそう思う」と言った。あまりの呆気なさに安堵と若干の寂しさを残しつつ、彼はこう続けた。

「君のことは愛しているよ。だけど、恋はしていない。僕にとって君は、母親だった。」

驚いたのは私も全く同じことを思っていたからだ。私にとって彼はまさしく父親で、恋人でも、結婚相手でもなかったのだ。


別れるまでは時間を要して、悩んで、きっと後悔するぞと周囲に止められた別れだったけれど、結果的に離れてみると日常はあまりにも変わらなくて、私も彼もお互いがいる時よりずっとイキイキと生活しているように思う。

もしあのまま、「なんか違う」を続けていたら。
妥協と情、周りの意見だけを鵜呑みにして結婚まで決めていたら。
多分私は彼を、どこかのタイミングで嫌いになっていたと思う。

「なんでこんなことに」と後悔しながらシンクに溜まった洗い物を見つめている自分を想像すると、心からあの選択をしたことが正解だったと実感する。

賞味期限が切れてしまった恋愛は、どう料理してもいずれその関係性を腐らせる。
大切だからこそ気付き、そして手放さなければいけないタイミングが、恋愛にはあるのだと思う。

最大の難関、セックスレス問題

私は昔、風俗嬢として働いていた。すでに知っている方もいると思う。そこに来る客には圧倒的に既婚者が多く、そしてそのどの客も、左薬指に腰を下ろすくすんだ指輪を眺めながら「嫁とはセックスレスなんだ」と話していた。妻にセックスを拒絶されるから外で発散しているのかと同情したのも束の間、よくよく話を聞いてみるとそのほとんどは「俺が嫁を抱けない」であって、あくまでセックスを拒否する側の人間だったりするから呆れる。

女性にとってセックスを拒絶されるというのは、自分自身の魅力を全否定されるようなものだ。いくら「そんなことはないよ」と言われても、そう感じてしまうのだから仕方ない。どれだけ愛とセックスがイコールではないと頭で分かっていても、実際に拒絶されると、これがもう想像以上にこたえるのだ。

そもそも普通に過ごしていれば性的対象に見られやすく、それにうんざりしがちだというのが我々女だ。それが一番愛している相手に限って自分を拒絶してくるとなると、そのギャップにもモヤモヤするのは自然の摂理である。

関係が長くなればなるほど、信頼や安心が増えていくのと同時に、相手の性欲がこぼれ落ちていく。

最初は「体目的なのか」と悩むところから始まることも少なくはない男女の関係が、長く一緒にいるうちに徐々に形を変えていく。誘われる頻度が減り、ついには誘っても「眠たいからまた今度ね」と、かわされるようになってしまう。

そしてお互いが同じように同じだけ変化すれば平和なところを、大抵そうではないところが、更にこの問題を更にややこしくさせるから辛い。

とりわけ女性側が拒絶されるようになった時は悲惨だ。単にセックスがしたくないだけと捉えるのは難しく、多くの女性は「私の女性としての価値がなくなってしまったのか……?」と悩むことになるのだから。

私の時もそうだった。言わずもがな私はセックスを拒絶される側で、傷ついていたなりには絶望せず、どうにかこの状況を回避しなくてはと手を変え品を変え、最善を尽くした。

今日はするかもしれないと思った日には家から出もしないのに一生懸命メイクをしたり、シャワーをして、ムダ毛をそって、いつもより良い匂いのするボディソープを塗ったりもした。雑誌に書かれているような「セックスレス改善のコツ」みたいなものは一通り試したと思う。だけど察しているのかいないのか、いつもよりも視線を合わせない彼が、まるで誘われる前に先手を打つかのように「今日は疲れているから」と言い訳をしてくる。

あの日も相手はいつものように「眠いから」と私の誘いを断って、さらには触れようとした手を、払いのけた。その途端、私の心はとうとう決壊して、一番やるべきではないとわかっていたのに、「どうしてセックスしたくないの?」と、問い詰めながら、泣いてしまった。

そんな私を見て「そんなにヤりたいの?」と言われた時のあの恥ずかしさと辛さは、今思い出しても苦しくなるほどにトラウマだ。相手が想像している私の言う「セックスしたい」の中身が、私の意図しているものとかけ離れているのが、何よりも辛かった。

確かに性欲といえば性欲だろうけれど、そんなことよりも何よりも、私は彼にとって価値があると認めてほしかった。そしてその手段が、私にとってはセックスだったのだ。

相談した友達に、「セックスしなくても良い関係性って素敵じゃない」と言われたこともある。だけどそうじゃない人にとって、愛が深まれば深まるほど相手から魅力的に思われなくなるというのは、想像を絶するほどに辛い。そして私は、そうじゃない方の人間だったのだ。

誤解してほしくないのは、どの相手とも、関係性は悪くなかった。誰もが自分のことを分かってくれて、安心できて、気も使わなくても、居心地の良い恋人だった。だけどそんな関係から唯一。たったひとつだけ、セックスだけがその関係からぬけおちていた。

それだけなのに、たったそれだけが私にはどうしても耐えられないほどに苦しかった。

かわいいワンピースを着ても、新しい髪型にしても、素敵な下着を身につけても欲情されない。それが、とんでもなく怖かった。
家の外で出会う誰かに、酔っ払った瞳で「かわいいね」と薄っぺらく褒められただけで涙が出そうになるほどに、私は精神的にまいっていた。
あなたじゃない、その目をして欲しいのはあなたじゃないのに。

誰でも良いわけじゃない。愛しているその人に拒絶されるから辛い。向き合おうとするのも辛い、向き合った先で、めんどくさそうにため息をつかれるのが辛い。ずるく、他の自分を求めてくる誰かに流れてしまえば楽なのかもしれないけど、それじゃあ満たされないから余計に難しい。

どれだけ時間を共有して、どれだけ信頼を獲得して、思い出を作って、ともに困難を乗り越えても。「長く一緒にいすぎて魅力を感じない」と、拒絶される。そこに愛は、あるのだろうか。

悲しいことに、セックスレス問題に明確な解決方法はない。話し合いで改善することもあれば、それがかえって悪化させることもあるし。積極的になって再び燃え上がる人もいれば、冷めてしまう人もいるだろう。いろんな恋愛における問題についてそれなりの答えを見つけてきたつもりの私でさえ、この問題だけは解決方法が見つけられない。

だけどそれでもこうして書いているのは、セックスレスがどうでも良い悩みなんかじゃないというのを、何度も伝えていきたいからだ。

セックスレスで悩んでるのはあなただけじゃないし、セックスレスで悩むのはおかしなことでも大袈裟でもない。

あなたが苦しい理由は「セックスができないから」じゃないってこと、私はちゃんと分かってるってことを、やっぱりこの本にも書いておく。

因みに一つヒントがあるとするなら、どんな問題であろうと、悲しんで向き合おうとするあなたにそっぽを向くような男に「愛」を期待しないほうが良いかもしれない。

セックスで自尊心を満たすと破滅します

「減るもんじゃないんだから」と、男はそう無責任に口を揃える。

確かにセックスには限度なんてないし、一見回数を重ねたところで何かが変わるわけでもないようにも見える。

しかし、結論から言えばセックスは減るものだ。これは何度も口酸っぱく訴えてきたことではあるのだが、大切なことだから更にしつこく伝えていきたいと思う。

Ｔｗｉｔｔｅｒを通して寄せられる多くの女の子達の悩みの種となっているその行為。「セックス」と一言でいっても、同じものを起源としながらもその悩みの種類は多岐に渡る。体だけを求められるのが辛い、体を許した途端にフラれて困っている、というものもあれば、セックスそのものが苦痛である、はたまた、女性側が彼にセックスを拒絶されることに悩んでいるというケースも意外に多い。

どんなものであるにしろ、セックスが絡んだ悩みは心を傷つけやすく、人の自尊心を簡単にズタズタにする。それでいてそれぞれの悩みへのはっきりとした解決策はなかなか見つからず、どう考えても「どうしようもない」以外に答えが存在しないものも存在しているから厄介だ。

実はこのセックスが絡む多くの悩みの根っこは、同じものが起源となっているように思える。

それは、セックスを性欲以外と結びつけてしまうという、女性に多く見られる心理状態ではないだろうか。

そもそもセックスは生殖行為であり、子孫を残すために行われる本能的かつ動物的な行為だ。そこに複雑な恋愛感情や独占欲、自己承認欲求を少しでも絡めることにしたのは、完全に神様のミスだと思う。セックスが子孫繁栄や快感のためだけに行われるものであれば、これほどまでの苦しみやすれ違いを産まなかっただろう。

そして更にややこしいことに、セックスへの価値観には男女の違いがある。男性と女性で区別を付けて語るのは今の時代古いのかもしれないけれど、この問題においては区別をつけざるを得ないというのが私の持論だ。

多くの男性にとってセックスは、性欲が沸いた末に起きるハプニングでしかない。そこに相手への愛やリスペクト、情なんてものは存在せず、穴があれば入りたいのである。

一方多くの女性にとってセックスは愛情表現の一種であり、愛やリスペクト、はたまた情の先にその行為が存在する。

私も夜の仕事に足を突っ込む前、この事実をどうしても想像しづらかった。

例えば風俗店に行く男たちは、充分に自分の好みに合う女の子を吟味して選び、選んだその先にその場限りの恋愛を楽しんでいるに違いないとさえ思っていた。お金を払っていたとしても、その子を抱いているその時間は、きっと相手に愛や情を抱くに違いない。もしかすると、そこから恋愛に発展することさえあるのではないか、と。

それくらいに好きでもない、可愛いとも思わない異性との性行為には価値がないはずだと信じていたのだ。

しかし実際に夜の仕事を始めると、それが大きな誤解だったことに気づく。

彼らは友達同士で風俗店に出向き、一万円札を握りしめたまま「誰でもいい」と口にする。写真も見ずにホテルに入り、そこでどれだけ自分の好みではない相手が出てきてもしっかり勃起して行為を済ませ、何事もなかったようにネクタイをしめて涼しい顔をしてホテルを後にしたら、合流した仲間と「ハズレだった」とか「当たりだった」とかケラケラと報告しあい、数時間すればさっき裸になったことなどすっかり忘れ、愛する家族のいる家に帰っていく。

勿論帰り道に相手を思い出したりもしないし、なんなら行為が終われば、妻や彼女の写真を見せて惚気てくるなんてこともしょっちゅうだ。彼らにとってセックスは、紛れもなく性欲処理であり、愛とは切り離された存在なのである。

一方女性はどうだろう。

勿論全ての女性がそうではないし、自由奔放に性行為を楽しむタイプの女性も存在はする。しかし、私の元に届く悩み相談のメッセージを読んでいると、やはり多くの女性にとってセックスはただの性欲処理とは言い難く、彼女たちにとっては特別な行為として位置付けられている。

だから迂闊に求められれば悲しいし、行為を繰り返すほどに情が湧いてしまう。使い捨てされればその行動が理解できずに傷つき、また反対に拒絶されると、自分を全否定されたような気持ちになったりもする。

彼女たちはセックスで愛や、自分の価値をはかってしまうのだから当然だ。

両者のこの認識の違いは、時に深すぎる溝を生む。

男性にとってはシンプルな性欲処理であるソレが、女性にとっては愛の確認行為なのだから話が噛み合わなくて当然である。

女性は「したのに」と嘆き、男性は「しただけなのに」とぼやく。

だからこそ傷つかないため、考えすぎないために、自分を守るためにも、この本を読む女性には現実を理解した上で覚えておいてほしい。「セックスはセックスであり、セックスでしかない」のだと。

何度セックスをしようが、セックス中に甘い言葉をかけられようが、はたまた時々拒絶されようが、そこにはなんの特別な意味も、深い理由もない。その行為で愛は確かめられないし、あなたの価値をはかることはできないのだ。

この手の悩みは、セックスと愛や情や自尊心を結びつけず、切り離すことでしか解決の糸口を掴めない。もしもあなたが相手との関係で悩んでいるのなら、関係性を整理したり、悩みごとの答えを見つけようとすると思う。その工程に、「性行為中の彼」についてを絡めないことが大事だ。


セックスをしていない時、彼のあなたへの態度はどうだった?

「セックスはセックスであり、セックスでしかない」

その考え方を身につけることさえ出来れば、あなたの悩みの半分は解決するかもしれない。


さて、冒頭に「セックスは減るものだ」と書いた。

男性にとっては特別でないはずのその行為を、女性側が出し惜しみすべき理由は何か。

それは、初めてや特別が減っていくことが、後々あなたの首を絞めるからである。

あなたがあなたの体を大事にせず、求められるのならと簡単に都合よく、特別に好きでもない相手との行為に応じ続けていたら。
いざ本当に大切な人と関係を持つ時、必ずどうでもいい過去の男のことが頭によぎる。「どうせ」と先を予測させ、その感情はあなたを情熱から遠ざけ、嫌な意味で冷静にさせる。

私たちが初めて雪を見た感覚を二度と感じられないのと同じで、セックスそのものに感じる新鮮さや特別感は、行為を重ねるほどに薄れてしまうのだ。それはすなわち、減ることだと思う。そしてそれってやっぱり、少し寂しい。

だからこそ私は、たかがセックスでも、やっぱり大切にしてほしいなと思ったりもするし、「減るもんじゃないんだし」といい加減なことを言って近づいてくる男たちは一蹴してほしいなと、願ってやまないのだ。

結婚は諦められる相手とすること。王子様は絶滅しました

結婚なんてしたくない、と本気でそう思っていた。

そもそも私は最初から、結婚という制度自体に懐疑的だったのだ。恋愛という不確かで流動的な感情を軸にする癖に、永遠を前提に未来について契約するなんて、あまりにも恐ろしい。

「恋愛」とは、契約や法律ではコントロールしづらい感情が作り出す関係性だ。恋愛初期に放出される脳内麻薬は、それこそ違法薬物と同じような作用を脳内にもたらし、冷静な判断を妨げるどころか、目の前にいるピエロを王子様に見せる幻覚作用まである。

それは、まるで辻褄の合わない夢の中。さっきまで隣にいたレオナルド・ディカプリオが突然ピエロに変わって殴りかかってくるし、かと思えばいつのまにかいなくなって、

それと同時に豪華な絵画や首飾りは、最初からなかったかのように忽然と姿を消す。それが恋愛だ。

もともとは恋愛体質だった私だから、勿論純粋に結婚に憧れていた時代もあった。いつかおとずれるであろうその相手は、きっと今までに出会ったことのないような王子様に違いないとさえ信じていた。いじわるな義理母に虐げられてきたシンデレラや、塔の上で魔女にとらわれていたラプンツェルがそうであったように、誰かひとりでも私が求めている素敵な人が現れれば、手を差し伸べてくれれば、いつかその人が私をこの真っ暗闇な部屋からひっぱりあげてくれるはずだ、と本気で待ち望んでいたのだ。

だけどそれは、間違いだった。

DVからモラハラ、マザコンから浮気男まで。アートな街で死体を並べて博覧会でもできんじゃないの?ってなレベルで、この31年間くだらない恋愛を経験してきたし、誰かと出会うたびに「この人こそは運命かもしれない」と天に舞うような気持ちになって、ようやく手に入りそうな幸せな結末を想像したりもしたけれど、結局どの人も、時間が経てば色褪せた。

どれだけ幸せにしてくれそうだ、人生を変えてくれそうだ、この人だけは違うと思っていた相手も、いざ去ってみた後に私の人生は全く変わっていなかったし、無駄に傷ついてトラウマを形成するだけだった。

その繰り返しの中で徐々に、運命の人など、王子様など存在しないのだと悟ったのだ。

しかし、一方で私は去年、長年言い続けてきた「結婚なんてしない」を押しのけて結婚した。大きな矛盾だ。だからこそここまで読んでいたあなたは、ついに王子様を見つけたの?やっぱり運命は存在するの?と聞きたくなると思う。

事実私が結婚を決めたと話すと、多くの友人は一通り驚いたあと、どれだけ特別な相手なのか、どんなふうに運命の相手だと感じたのかのストーリーを聞きたがった。「あれだけ結婚を否定していたあなたが突然結婚するなんて、相手はどれだけ特別なの?何があったの?」ってな具合に。

しかし残念ながら、私の夫はいたって普通の人だ。富豪でもなければ芸能人でもないし、出会いもありふれていた。目が合った瞬間に恋に落ちたなんてこともなかったし、劇的な恋愛を経て結婚を決めたわけでもない。

ではどうして彼との結婚を決めたのか。

それは今思えば、彼となら諦めても良い、と思えたからだったのだと思う。

誤解を恐れずに言えば、結婚や出産には究極の諦めが伴う。今まで自分のためだけに生きてこられた人生を、「誰かのために」生きていくと決めなければならないという、想像以上にとてつもなく難しい選択なのだ。

大好きな人を独占したいとか、ふたりでいれば幸せは何倍にも……。なんて気持ちはもって数年で、一緒にいるうちに薄れていく。良い意味でも悪い意味でも、相手は恋人から家族になっていくのだ。性愛的なときめきは失われていくだろう。

ときめきを失い、お互い恋愛対象としての魅力が少しずつ衰えていく中で、相手の他にどれだけ魅力的な人が現れても、運命的な出会いを果たしても、基本的にはその人を諦めなければならない。

「全てのものをできるだけ直ぐに手放せるような生き方をしたい」と思っていた私にとってそれは、ある意味想像のできない境地だった。生まれ持って偶然集まった親を含めた家族ならばともかく、自分で選んでこしらえた新しい家族には、責任が伴う。「やっぱり辞ーめた」なんて、簡単に手放すことは許されることではないのだ。

だから私は、結婚がしたくなかった。そもそも向いていない。飽きっぽい私が自分の意思で永久に手放せないものをつくるなんて、恐怖でしかなかった。

だけど不思議なことに、今の彼と過ごすうち、はじめてその恐怖が薄れていく感覚を覚えた。

強烈なトキメキがあったわけではない。「この人と一生一緒にいたい！」と、燃え上がるような勢いを感じたわけでもなかった。だけど嬉しい時、苦しい時、腹が立った時。「この人になら話したい」と、常にそう思える相手だった。

私には、日頃から浮かぶモヤモヤに押しつぶされそうな夜や、わけもなく暴れたくなりそうな夜があった。だけどそれを誰かに、とりわけ異性には話そうと思えたことがなかった。「どうせ分かってもらえないだろう」と決めつけていたから。自分の気持ちを話すなんて勿体無いとすら思っていた。今思えば、むやみに乱れた自分をさらけだせば途端に尻尾を巻いて逃げていきそうな、くだらない相手ばかりを横に置いていたからかもしれない。

彼は、そんな夜に話がしたいと思える相手だった。

「辛いのだ」「嬉しいのだ」「怒っているのだ」そうやって、自分の感情を言葉にしたくなる相手。この人なら分かってくれる。そしてそのうえで、きっと常に私の味方でいてくれると思えた人だったのだ。

私は結婚を決めた時、周囲に聞かれたような、彼を通して何か特別なものを得たいとか、幸せにしてくれると思ったとか、そんなたいそれて尖った刺激的な期待なんて持ち合わせていなかった。

ただ彼と話すうちに、人生で何人もは出会わないであろう「分かってくれる相手」と出会えたと思えたし、そしてそんな彼がいる未来を守りたいと思った。それだけだ。
その未来がありふれていてつまらなかったとしても、想像とは違っていたとしても。
「分かってくれる相手」。そんな人を横に置いておける未来のためなら、この先に訪れる何かを諦めても良いかもしれないと思えるほど、それは私にとって初めての感覚だった。

結婚と言えば、何かどうしても幸せの象徴で、恋愛における究極のゴールのような印象を持つだろう。愛してやまない人と、永遠に変わらない愛を誓う。思うに、その期待や考えそのものが、失敗のもとではないだろうか。

私にしてみれば、結婚ははじまり。結婚をおきに始まるのは幸せの連続どころか、諦めの連続。まともに向き合えば、独身の時に感じた、花火が打ちあがったかのような幸せやときめき、解放された自由は、二度と手にできないという代償さえある。だからこそ、である。この「諦め」を受け入れられる、諦める価値のある相手。この人となら、諦めても良いと思える人と出会えた時こそが、結婚を決めるべき時、人生のターニングポイントではないかと思うのだ。

私の友人でながらく特定の恋人を作らず、ふらふらと不特定多数の異性とその場限りの恋愛を楽しんでいる男がいた。

そんな彼が突然、「結婚をする」と言い始めた時に言った言葉を思い出す。

「毎日違う人といる方が、新鮮さや興奮があって楽しい。だけどふと桜を見ている時に、これをこのまま続けていくと、『去年もここの桜は綺麗だったね』と共有する相手がいないままで死んでいくことになる。それが急に虚しく、怖くなった」

今までの自分も、これからの自分も受け入れてくれる、知ってくれている相手。過去を共有できる相手。そんな相手と過ごす時間を守るために、何かを諦め、捨てるのだって、実は悪くはないのかもしれない。

その先に刺激的な幸せはなかったとしても、少なくとも穏やかに身を委ねることのできる確かな居場所は、見つけることができるから。

3

自分をすり減らす
その「愛想笑い」、
本当に必要?

「ねえ、私が綺麗じゃなくなったら、あなたは私を捨てちゃうの？」

とうに終電を逃した明け方の3時、今日の私は少し、酔っ払っている。

あなたがどんな反応するかなんて分かっているのに、ばかみたいな質問を投げかけて、挙句ウキウキと答えを待っている。あなたはどうせ「そんなことあるわけないじゃないか」って、赤く垂れた判断力のない目でこっちを見つめてそういうんだろう。


だけど。そういうあなたが、家に太って年老いた奥さんを残してきたことを知っている。

トンカツを食べる私にダイエットサプリをすすめたことも、覚えてる。


薄っぺらいわよね、あなたも、それから私も。


可愛いって褒められたくて、良い子のふりをしたの。

気高く、だけどギリギリ手に入りそうな高さに自分を置いて、ひらひらと餌を巻いて、安い好意をおびき寄せた。取り繕った言葉の中に、真実なんてないわ。そこに、本当の私もいない。

だけどそうして下品な優しさの中に浸かっている時が、唯一自分でいられる気がするんだから、おかしいわよね。

本当の私をどこに置いてきちゃったのか、今ではもう思い出せない。もしかしていつのまにか、これが本当の私になってしまったのかもしれないし。

自分のルーツなんて、どうでもいいわ。あなたがどこから来たかも、もうどうでもいい。
今1番の関心ごとは、この虚しく煌びやかな夜を、あと何回越えられるか。
そして越えた先の暗闇に、誰が残っていて、どんな自分が立っているのか。

まだ分からないな。分かりたくもないな。

「若さ」への未練を捨てる

20代後半になった頃、同世代の女性間での会話にやたらと自虐が含まれるようになった。「もう年齢(トシ)だから」というつぶやきは憂いを帯びていて、それを口にしなければ叩かれるという恐ろしさからの自衛にも思えた。

私も例外ではなかった。

年齢が進むごとに、体よりも先に心が重くなっていくのを感じていた。それは加齢による真っ当な老いとはまた違って、世間から向けられる視線によって作られる重たい鎧によるもののようにも思えた。

私は長く水商売の業界にいたから、恐らく一般的な女性よりもその感覚が強かったと思う。若さを消費するその世界では、若いと言うだけで一定の需要がある。とくになんの魅力がなくたって、年齢だけでチヤホヤされ、高い値がつけられ、そして褒められるのだ。

世の中には、その全てに滲む幼さだけを食い物にする人間が存在する。私たちは「若さこそが最大の魅力だ」と言って聞かされ、それを信じて成長するのだ。渦中にいるその頃の私は、自分が老いていくことなどずっと遠い違う世界の話だと思っていた。

しかしそれは間違いで、奴らの言う「賞味期限」は思った以上に早い。ひとつひとつと年齢が上がるにつれ、露骨に変化が訪れることになる。

その人単体の個性や美貌・経験なんていう魅力は置き去りにされ、年齢を重ねているというだけでいっしょくたに傷物扱いされて著しく安い価格で押し売りされるようになるのだ。

夜の世界では、比喩ではなく自分に値段が付けられるわけで。その価格が下がっていくことで感じる不安はきっと、一般社会で女性が感じている不安をもっと切実にしたようなものだと思っている。

私にとって若さによって得られたものはとても大きく思えて、その恩恵が減っていくことへの恐怖は小さなものではなかった。それは優しくされるのと、何かを与えられるのと同じだけ、反対の立場にいる女性たちへの扱いを見てきたからだ。

「〇〇ちゃんは若いから」という言葉は、裏返せば「若くなければこうはならなかったよ」という脅し文句。それは優しさではなく呪いで、私たちはそういう呪いをかけられながら、必要以上に年齢という数字に縛られていたのだ。

30歳の誕生日を迎えた時、その恐怖はピークに達していた。心だけではなく、身体的な変化も感じ始めた私は、時々ゆっくりと水没していくような息苦しさを感じてパニックになった。

老いて行くのが怖い。このまま若さを失ったら、私の価値はなくなってしまうのだろうか。それは大きな間違いなのだが、その頃の私には切実な悩みだった。

さて、そういう気持ちから逃れられた私には、明確に捨てたものがある。

それは、過去への未練である。

そもそも年齢を重ねていくことは、失うことではない。
それは、積み重ねていくこと。
そして積み重なるのは「時間」であり、それはすなわち「人生」だ。

歳を重ねるというのは、そういった美しくて大切な瞬間を積み重ねる作業であり、その量が増えるほど、その人の深みや輝きは増していく。

だけど私たちは、それがまるで価値のないものだと勘違いしている。
そして必要以上に恐れているのだ。

では、どうして恐れを感じるのか。
それは私達の若さを搾取してきたあの人間たちの言葉を鵜呑みにし、加齢をただ時間が過ぎ去ること、失うことだと捉えているからではないだろうかと思う。

私たちは、自分の選んだ選択肢の延長線上に生きている。今まで積み重ねてきたものは決して意味のない不要物ではなく、大切なあなたの生きたシルシだ。

私も時々、若き日に選ばなかった選択が妙に魅力的に思えて、そこに手を伸ばしたくなる。そして手が届かないことに気づくと、「私はあの選択肢を失った」と、過ぎた時間を嘆く。

だけど今なら分かる。そうではない。騙されないでほしい。
私たちは失ったのではない。選んできたのだ。
あなたが立っている今は失った末の今ではなく、選んで、積み重ねてきた今だ。あなたを真っ当に評価する人や本当の意味で大切にしようとする人は、若さではなく、あなたが積み重ねてきたものを評価する。年齢だけで褒めたり、反対に蔑んだりするような者の言う「価値がない」を信じてはいけない。

そして同時に、あなた自身も「あの頃」への未練を手放し、今の自分の美しさを見つめる勇気を持たなければならない。長く偏見に晒された心を整えるのは難しい作業だけど、必要なことだと思う。

あなた自身がその美しさや価値に気づけば、誤った物差しであなたを計ろうとする者たちの愚かさが見えてくる。

その薄っぺらい価値観のなんて陳腐なものか。そうだ、それで選ばないというような者たちには、選ばれなれなくて良いのである。


私たちは長い間かけて、若さこそが最大の武器だと教えられてきた。

だけど本来はそうではなく、時間をかけてゆっくりと刻んできた心こそが、あなたの人生における最大の魅力であり、武器なのである。


まずはあなた自身が、過去への未練を捨てること。

そうすれば今のあなたにしか出会えない誰かや選択肢に、また向き合うことができるから。

その友達、手放すべきかもよ

必死にスケジュール帳を埋めていた時期があった。

朝から晩まで、数時間おきに人と会う予定を詰め込む。この人とは最低これくらいの頻度で会わなければいけない、みたいなノルマのようなものがあって、それをこなすためにやっていたことだ。

この人とはいつか一緒に仕事をするかもしれないし、この人にはいろいろとお世話になったし……。損得勘定や義理みたいなものも含めると、その理由は多岐にわたる。半ば義務感に近かった気もするなと、今になると思う。

「友人」という存在を失うのが怖かった。

その存在の有無や人数で、自分の価値をはかられているような気がしていたし、ラインの友達が少ないのは、私にとって恥ずかしいことだった。だから多少失礼なことを言われても目を瞑ったし、気が合わないなと思っても定期的に会う予定を立て続けた。だって友達だから。

さて、人生にはターニングポイントというものがある。

例えば進学とか、結婚とか、出産。そういうものだ。それには人生のステップアップ的な要素が含まれていることも多く、当事者の「幸せ」が伴うことも多い。

勿論、私にもその瞬間があった。それは当事者と友人、両方の立場として。

その中で、基本的に他人の幸せを素直に喜べる人などいないのだと知った。若い頃の私はこの事実を知らなかったから、今思えばくだらないことで傷ついていたなあ、と思う。

例えば美容整形をした時、それまで私を可愛いと褒め称え、異性のいる席に好んで誘ってくれていた女友達が、途端にぱたりと私を誘わなくなったのだ。

何か悪いことをしたかなと気に病んでいたら、たまたま彼女とトラブルになって憤慨していた共通の友人にこう言われた。

「そういえばあいつ、ｙｕｚｕｋａは整形してちょっと可愛くなったから、もう男のいる場所には呼びたくないって言ってたよ」

整形をして可愛くなったかはさておき、友人だと思っていた優しい彼女が私を引き立て役として利用していただけだったと知ってショックを受けた。

彼女は私をリスペクトして褒めていたわけでも、一緒にいたいから遊びに誘っていたわけでもなく、ただ自分よりもルックスが劣っていたから、安心要素や優越感にひたる道具として友人ごっこをしていただけだったのだ。

思えば彼女は、私が整形をすることを打ち明けた時にも微妙な反応を示していた。

「そのままで良いのに。本当にするの？」

あれは多分私の身を案じていたわけではなく、単に綺麗になって欲しくなかったから、自分よりも幸せになってほしくなかったからこそかけた言葉だったのだろうと、今になって思う。

転職を決めたときも、結婚を決めた時も、何かの報告をする度に一定数の友人は怪訝な反応を示す。「どうせ離婚するんじゃない？」とか、「あなたには無理じゃない？」とか、いろんなマイナスなことを言って私を非難して、現状を変えさせようとしない。それでも押しきってその先で幸せそうな私を目の当たりにしても、「良かったじゃん」と認めるわけでもなく、嘘みたいに私のもとからいなくなったりもする。

そしてこれは私にだけ起こる特別な現象ではなく、人生のターニングポイントを通過するたびに一定数の友人の態度や関係性が変わってしまうのは、悲しいことに「あるある」のようだ。

人は自分が一番大切で、可愛い。誰を差し置いても自分が一番幸せになりたいし、自分よりも幸せな人を見ると少しだけ心が荒んでしまう。

友人にはできるだけ同じレベルでいることを求め、できれば自分よりも秀でてほしくない。それは何も恥ずかしいことではなく、おそらく誰にでもある当たり前の感情だ。

勿論その感情は、私にだってある。

幸せそうなインスタグラムを見ているときになんとも言えない嫌な感情が沸き起こっ

たり、結婚報告にケチを付けたくなったり。そんな瞬間がないと言えば、嘘になる。
過ぎ去った冷静な今思えば、あの時の嫌な感情は恐らく嫉妬の要素が大きいけれど、その相手が友人となると自分自身の心に湧き上がる濁った感情を余計に認めたくなくて、正当化したくて。複雑な気持ちからよく分からない態度を取ったり、相手を否定したり、距離をおいてしまいたくなるのだと思う。
過去の私はそんな相手の感情が理解できずに戸惑い、幸せを喜んでくれない友人の態度に傷つき、怒りさえ覚えていた。

どうして私の幸せを喜んでくれないの？

だけど今はそれが、人の幸せを素直に喜べないことが当たり前の感情で特別ではないと理解できるから、とくに傷つかない。

そしてここには、過去の私と同じように悩んでいる人に向け、そういう悪意のない拒絶に対面した時、どうすれば良いのかの自分なりの答えを書いておく。縋り付くべきか、説明を求めるべきか、怒るべきか。いや、私としては、「let it go」一択だ。

手放すのだ。

黙って、その関係を手放す。

その人が悪いのではない。多分その人は今、あなたの幸せを幸せだと思えないタイミングにいる。

あなたの人生が変化することで、あなたとその人の居るフィールドが変わってしまっただけ。それにあなたが合わせる必要もないし、だからと言って相手を急かして同じ場所にやってこいと強要する必要もない。

よく考えてみれば分かることだ。いくら長い付き合いでも、今まではお互いを思いやれていたとしても、道は常に同じではない。違う道を歩んでいる中で、価値観が変わったり、相手についていけなくなったり。やっぱりそういうタイミングってどこかでやってくる。

だからこそ、その時は素直に手放すこと。縋り付かず動揺せずに、「ああ、今はそのタイミングなのね」と、あなたはあなたの人生を生きよう。なにも永遠の別れではないし、もしかするとまた何かのタイミングが来たときに、同じフィールドで笑い合える日がくるかもしれないから。

因みに最近のエピソード。「子どもができた」と報告をして、素直に喜んでくれたのはたぶん、半数くらいだったかと思う。

もともと独身同士で飲みにいっては「私たちって多分ずっとこれだよね」とケタケタ笑っていることが多かったからこそ、私の報告はその気楽な関係性が変わることを意味していたし、事情があって子どもを持つことを諦めている人もいたかもしれないから、この手の報告を手放しで喜べる人ばかりではないのも分かっていた。

私の人生設計がガラリと変わったことで途端に話が合わなくなり、会話に違和感を感じるようになる。今まで仲良く定期的に会っていた一部の友人と、途端に疎遠になった。

だけどその代わりに、その昔「子どもができた」と離れてしまっていた友人から、連絡が入るようになった。彼女たちとは独身時代なんとなく距離をとっていたにも関わらず、それまでの時間が嘘だったかのように、すんなりとお互いの近況を報告しあった。そこには嫉妬も、足の引っ張り合いも存在しない。同じ土俵で、同じように話せるようになったのは、私のフィールドが彼女たちに近くなったからであろう。

その時にまた、タイミングだな、と思った。

こうやって、その時々でお互いの幸せを願える相手とやんわり付き合う。それでいいじゃないか、と。

友人を数えることも、会いたくもないのに義務的に会うことも辞めた。

会いたい人に、会いたいタイミングで会えば良い。そんな当たり前のことに、ようやく気付いたのだ。

勿論、私がどんな状況になろうと、相手がどんな状況になろうと、常に手放しでお互いの幸せを願える相手も存在する。

昔は気づかなかったけれど、今となってその関係性がいかに貴重かを理解できる。だからこそ、そういう相手のことは一生涯かけて大事にしようと思えるし、そんな相手こそれが多分、本当の意味での「友達」なのだと思う。

スケジュール帳を埋めるためでも、誰かに評価されるためでもなく、ただ心の底から会いたい人を大切に。そうすればその相手をますます愛おしく思えるし、もっと大切にできるはずだから。

友達は、少ないくらいがちょうどいい。

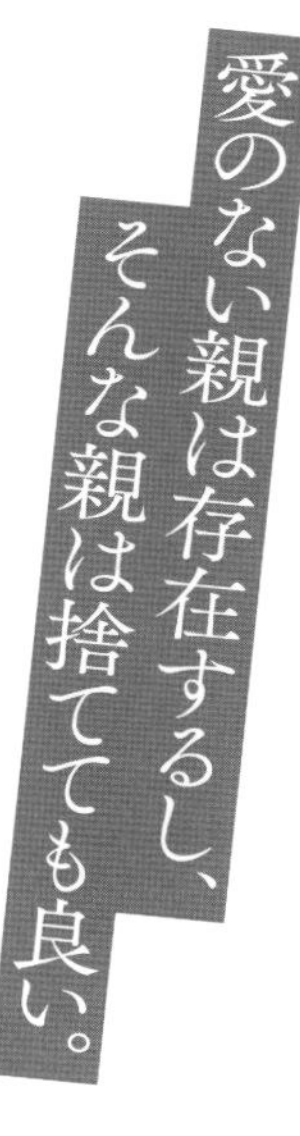

親について、というテーマで、散々文章を綴ってきた。

両親、とりわけ母親との関係が悪かった私にとって、彼女は俗に言う毒親。親との関係に悩む読者へかける言葉はいつも、「いざとなれば親は捨てても良い」だった。そしてその答え自体は今も変わっていない。

私たちは、頼みもしないのにこの世に生み落とされた。そして生まれた瞬間、なんの選択肢も用意されないまま既に親と環境が決まっていたのだから恐ろしい。

ネット界隈では親ガチャといわれるこの家庭環境という初期設定で、私たちの人生における生きやすさが決定してしまう。

運よくイージーモードで生まれ落ちた人は、空腹に困らないだけの食事と、フリルのついた可愛い洋服、両親から受け継いだ優秀な遺伝子を持ち合わせ、なによりたっぷりの愛情を注がれながら人生という冒険をスタートさせる。

リュックサックには自由にウーバーイーツが注文できて地図まで見れるタブレット、両親に助けを求められるスマホ、それから何かがあった時のためにアサルトライフルなんかも入っているかもしれない。

充分に用意された環境の中で周りに助けられながら示された道を進んでいけば良いのだから、あまり大怪我をすることはない。

一方ハードモードに生まれ落ちた人は、生まれた瞬間から修羅の道をいくことになる。からっぽなリュックサックだけならまだしも、そこには両親から受けた歪んだ愛情によって作り出されたコンプレックスという穴が開き、満足に武器を見つけることもできないまま、全裸で森の中に放り出されるのだ。

道も分からない、生きていくための道具も渡されない、そして愛情の示し方も教えられずにすすんでいく冒険は、満身創痍となること間違いなし、である。

さて、望まずして人生わりかしハードモードに生まれついた私は、母親から歪んだ愛情を受けて育った。

暴力こそなかったものの、幼い頃に吐かれた暴言は数知れず。「不細工」「産まなければよかった」「あんたは病気」。母親は当時ひきこもりだった弟を溺愛し、その一方で、思い通りの進路に進まなかった可愛くない私に向けてストレスをぶつけた。

放任主義だった父親にとくに悪い思い出はないが、コンプレックスを植え付けられていく私を横目にとくに手を差し伸べなかった点で言えば親としてはイマイチだろうし、とにかく私は居心地の良くない実家を18才の頃に出て、そのまま戻らなかった。


家を出てからも母親の暴走は止まらず、時々メンタルが不調になっては「死にたい」だとか「あんたのせいで」だとか、そう言った類のメッセージを私に送りつけてきて、いちいち心を疲れさせた。


ある日突然、そんな母親に謝られたことがある。

上機嫌だった母親は唐突に「あの時虐待してごめんな」と、笑ったのである。

その頃には怒りも恨みさえも消えて無くなっていた私は、許すとも許さないとも選択せず、「分かってたんだ」とだけ、返信したことを覚えている。

そんなこんなで親に対して良い思いがない私は、つい最近まで、母親に言われた言葉なんて気にしていないつもりで生きていた。

それもそのはず、幸い出会いには恵まれ、こどもの頃から関わる大人はみんな良い人で、私を守ってくれたのだ。幼い頃からおぼろげに「親の言うことなんて気にしなくて良い」と思えたのは大きかった。もしあの時、関わる大人すべてに嫌な思いをさせられていたら、きっと私は「親」ではなく「大人」を恨み、盗んだバイクで走り出していたかもしれない。


だけど勿論、そんな大人達のフォローだけで、幼い私の心は守りきれなかった。

大人になってから、じわじわじわじわと、母親にかけられた言葉たちが私の心を腐らせていることに気づく。コンプレックスはなかなか解消できず、それどころか肥大化した。

誰に褒められても「そんなわけがない」と信じられず、ついには整形にまで手を出したし、幸せになろうとするたび、昔母親にいわれた「あんたは不細工で病気だから幸せになれない」という言葉をいちいち思い出し、「たしかにそうだよな」と、踏みとどまってしまった。

一度、付き合っていた恋人に言われたことがある。

「どうして目の前の大切な人たちがあなたを褒めるのに、どうでも良いと思う人たったひとりにかけられた言葉を信じてしまうの？」

答えられなかった。だけど今思えば、いくら認めたくなくても、やっぱり「親」というのはそれだけ影響力があるのである。


さて、このまま書き進めていけば今まで書いてきたコラムと同じになってしまいそうなのだけど、実はこんな私も親に対して、少しだけ気持ちが寛解したのだ。

そのきっかけは言わずもがな出産だった。


「親なんだから愛しているに決まっているよ。仲直りしなよ」

私はその言葉が大嫌いだった。

何も知らない幸せな人たちによる偏見によって紡がれたその説教は、「何も分かっていないくせに」と決まって私の心を閉ざした。

子どもを産んだらその気持ちが分かるよと言われるたびに唾を吐きかけていたけれど、確かに自身が子育てをするようになって、彼女彼らがそう言う言葉を口にした理由だけは理解した。

子どもという生き物は想像以上にやっかいで手がかかる。

自分の人生を全て諦める覚悟でなければ、とてもじゃないが育ててなどいけない。

残念ながら、この世界は残酷で、愛情がない親は存在する。子を殴る、暴言を吐く、放置する、ひどいときは死なせてしまうことさえあるのだから当然である。

それら全てを「愛していたはずだよ」だなんて思わない。私自身子どもを産んだ今も母親の言動に共感することはないし、生涯そうはならないだろうと思う。

寧ろ子どもを産んだことで、「よくもあんなことができたな」と逆に不思議になる。

まだ0歳。自我を持っていないから、きっと子育てとしてはまだ序の口だからこう言えるのかも知れないけど、でも確かに思うのは、私はこの子がどれだけ私に迷惑をかけ、痛めつけたとしても、「産まなければよかった」なんて、絶対に口にしないということだ。

だから、母親の気持ちに寄り添って同情する気はない。

だけど一方で、今なら彼女の心境が理解できる。
きっと彼女は、うまく母親になりきれなかったのだ。

一見優しいと思う父親も、今思えば家事や育児は全て母親に押し付けていたのだと思う。

私は赤ん坊の頃夜泣きがひどく、2歳になるくらいまでは、ずっと夜通し泣き続ける毎日だったらしい。その度に母親は私を連れてドライブに行き、一晩中あやし続けた。細切れ睡眠の中で将来を思い、ブランド物の洋服を着せ、小学校に上がると、ありとあらゆる習い事に挑戦させた。

彼女は多分、自分ができなかったことを、私にやらせようとしていた。それは100%の親切心であり、彼女なりの愛情だったのだろう。キャリアを諦め、美を諦め、全ての時間を費やして、彼女の生きられなかった人生を私に与えようとした。

だけどその愛情は、うまく作用しなかった。
娘は反抗し、思い通りの道にすすもうとしない。彼女が一生懸命伸ばさせた髪を自分で切り落とし、ふりふりの服を脱ぎ捨てて川につっこんでいくような子どもだったから。

何かがあれば母親が責められ、そして娘も母親を嫌っていた。そこできっと、思ってしまったのだろう。「この子さえいなければ」と。

それは決して口に出してはいけない言葉だけど、失ったものの大きさを思えば、そう思っても仕方がなかったのかもしれない。

愛情がない親は存在する。だけど私の母親だけでいえば、多分彼女に愛はあって、だけどその愛は歪んでいたのだ。


そのうえで、私の考えは変わらない。いくら愛情があったって、同情してしまう側面があったって、それでも親は捨てて良い。もしもあなたを傷つけて、ボロボロにするのなら。

勝手に産んで、歪んだ愛情で傷つけ、それでいて「産んでくれてありがとう」を求めろだなんて、あまりにも勝手だ。

偶然できた「家族」だ。

絶対に相性が良いというわけではなくて当然なのである。


血のつながりなど、大したことはない。恋人や友人の時にそうであったように、もしも親があなたの人生にとって足枷になるのなら、手放すべきなのである。

親となった今、もし自分の息子にそう思われたら嫌だな思って、なかなか口に出せなかった。「親を捨てたい」だなんてこの子に言われる未来を想像すると、それだけで涙が出そうだから。だけどそれでも、この子に対しても同じことを思うのである。


親は子を捨てない。捨ててはいけない。

私たちには産んだ責任があり、この子を幸せにする義務があるから。

だけど子は親を捨てても良い。

もしもあなたの親が親失格だという行動を繰り返す存在なら、あなたには手放す権利がある。


それが、今でも私の考えである。

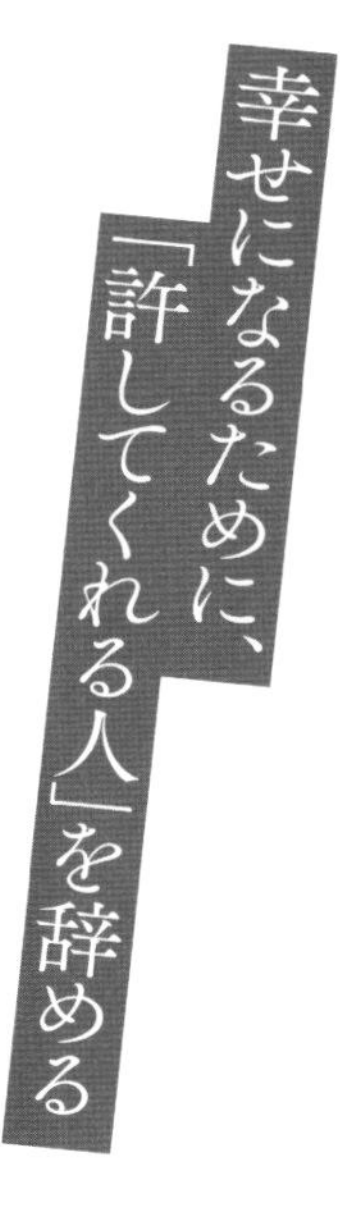

幸せになるために、「許してくれる人」を辞める

人間関係で何か辛い目に遭った後、私たちは無意識にそれを抱えて生きていくことになる。トラウマである。

一度でも誰かに裏切られた人は、心に深い傷を負っている。それは想像よりも遥かに深い。そんな傷を抱えていると、当然生きていくのにも苦労する。また裏切られるのではと常に怯え、他人との間に濃い線を引いたり、少しのことで簡単にシャットアウトしたりして、優しさを拒絶することさえもある。心がそれ以上の傷が与えられることを回避しようとするのだ。

例えば恋愛で言えば、冷静になってみれば裏切ってきたのは「その男」単体なのだ。ソイツがそうだからと言って誰もが同じように極悪非道な人間かと言われると、きっとそうではないことくらい分かる。

だけど頭で理解していても、心は追いついて来ない。あなたにとって裏切ってきたのは男という生き物であり、ソイツと離れて未練を断ち切った後でさえ、全ての男に対して疑いの目で見てしまう安っぽい色めがねだけは視界に残ってしまうのだ。

それはきっと、犬に置き換えても同じだ。

一度どこかの犬に噛みつかれてトラウマになれば、いくら小さなチワワであろうが、よく躾された温厚なゴールデンレトリバーであろうが、犬は噛むから怖いというトラウマが形成されてしまう。そしてその壁を打ち砕くのは、並大抵の努力では不可能。きっと目の前に犬が現れるたび、体にぐっと力が入り、身構えてしまうのではないかと思う。そのうち犬自体を避けて生活するようになってしまうかもしれない。

私はトラウマの恐ろしさを知っている。一度植え付けられたトラウマは心の奥まで侵食し、表面を拭き取っただけではどうにもならない程に複雑だ。

だから私は、「若いんだから多少傷つく恋をしてみても良いんじゃない」みたいな無責任なアドバイスが許せない。その恋の先に、女の子がどれだけ苦労するのかなんておそらくこれっぽっちも考えていない軽いアドバイス。最高に無責任である。

傷つかないで済むのなら、とことん傷つかない道を選んで欲しい。傷つけば傷つくだけ優しくなれるなんて嘘っぱちで、人は辛い思いをすればするほど、心が縮こまり、卑屈になっていく。

これを読んでいるあなたはなるべくそういうリスクをかわし、そしてできるだけたくさん愛されてほしい。闇雲に傷ついて後から苦労するような恋はしてほしくないな、と思うのだ。そういうトラウマが効いてくるのは、数年後、あなたが本当に幸せになろうとした時だから。

だけどもしもあなたが、既に誰かに傷つけられた後にこの文章を読んでいるのなら。私からあなたに、伝えたいことがある。それは、「許さなくても良いんだよ」ということだ。

許すというのは、並大抵の努力でできるものではない。

「許す」。それは一回限りの大きな出来事ではなくて、毎日永久に積み重ねていかなくては成立しないものだ。「許そう」と決めてそれを口にしても、心はそれを簡単には受け入れてくれない。

常に裏切られた記憶がこびりつき、日常の些細な風景からそれを連想し、悲しいことがあれば「やっぱりまたやるに違いない」と思うし、嬉しいことがあっても「じゃあどうしてあの時裏切ったの」と、悲しくなる。

そういう瞬間は、許そうと決めてから何度も何度も訪れて、あなたの心を疲れさせる。傷は癒えるどころか化膿し、毎日その悪臭に耐えなければならなくなる。本当の意味で許すことができて楽になれるかなんて分からないし、もしかすると永遠にその時はやってこないかもしれない。

だから辛い。「許す」って、簡単じゃない。

許す側は、毎日毎日許し続けなければならないのだ。

途方に暮れながら、思い出すたびに傷つきながら、そして時折、許せない自分を不甲斐ないと責めたりもしながら。

そして、そうした「許す側」の辛さを「許される側」はしらない。

許す側がどれだけ体力を使い、我慢に我慢を重ねて、身体中の神経が逆立つのをどんな気持ちで捻じ伏せているか。
「許された側」はそんなことを想像もせず、あなたが許したと口にした瞬間に「許された」と安堵し、次の日には「許してくれたのに」と過去になり、それ以上責めれば寧ろあなたを軽蔑してくる。「一度許すと言ったんだから頼むよ、もういいだろう」とでも言いたげに。

謝罪というのは、ずるい手段だなと思う。どこまで行ってもそれは言葉に過ぎず、何度頭を床に擦りつけて「ごめんなさい」と言われたところで、あなたが裏切られた事実も、傷ついた事実だって消えない。
だけど何故か時々、「これだけ謝っているのだから許してあげるべきだよ」と、謝罪を受け入れないことを、心が狭いとでも言いたげに攻めてくる人さえもいるから、ますますタチが悪い。

本来は謝られたからと言って許す義理などないし、裏切って一生物のトラウマを植え付けた側が必要なアクションがただ謝ることだけなのだとしたら、あまりにも軽すぎる罰じゃないかと、私は思う。

謝れば許されるなんて、都合の良いことを考えたのは誰だ。
一時の謝罪なんて、なんの足しにもならないじゃないか。

だから、私はあなたに伝えたい。そんな奴のことは、許さなくても良いよ。
許せない自分を責めなくても良いし、許さなければと躍起になって、その後長く続くであろう苦労をひきうける必要もない。

あなたの心が「許せない」「許したくない」と叫ぶなら、その声に従って人を許すことを辞めるべきである。あなたは正当に怒り、拒絶する権利を持っている。

これは何も恋愛だけに限らず、どんな人間関係においても同じだ。
傷つけられ、あなたが許せるなと思える範囲を越えているのなら、相手のためになんて、無理に許さなくても良いのだ。

冒頭で、「どんな出来事の登場人物だとしても、加害者よりも被害者が圧倒的に損を被る」と書いた。

もしもそれが恋愛での出来事だと仮定して、その言葉が覆る状況があるのだとしたら、それは唯一、相手が裏切った代償として、その場できっぱりあなたを失うことではないかと思う。

あなたに出来る唯一の復讐は、勇気を持って相手を突き放し、あなた自身が幸せになることだ。そして実はそれこそが、本当の意味で相手を許すための唯一の手段でもあるのかもしれない。

許せない。
それは正当な気持ちであり、許せない自分を責める必要なんてないし、思ったままに自分の感情受け入れて相手から離れるのも、決して悪い選択ではない。

そばにいる人を許し続けるのには、生傷が絶えないものなのだ。
わざわざ自分から傷だらけになりたい人なんて、どこにもいないでしょう。

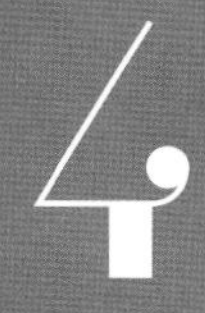

隣の芝生は青いし、
友達のインスタグラムのイイねは
やたらと多いし、
そもそもうちには芝生がない

多分さ、生まれつき決まっているんだと思うんだよね。水族館を素直に楽しめる人とそうじゃない人っていうかさ。綺麗な魚の鱗を見て感動したり、イルカショーでうるっとしちゃうような人。

多分あの子もそうだと思うの。そういう子ってさ、周りまで巻き込んでなんだろう、ずーっと幸せなオーラみたいなの？振り撒いてるじゃない。ああいう子って、人の悪口とか絶対言わないよね。あと、だいたいパクチーが好き。

一方私みたいなのはさ、水族館に行っても、「魚って不気味じゃない？」とか「これ食べれんの？」とか言って、10分もしたらお腹が空いて、帰り道にスシローに行くことばっか考えてるわけよ。

え？あなたも分かる？だってそうじゃない。何が楽しいんだよ、良い年して5000円も払って魚見てって。え、あそこの水族館値上げしたの？やだやだ、ますますやだ。って、またこんな感じ。いつもこう。卑屈なのよ、ずっと。人生丸ごとそんな感じ。

ねえ、あなたも私も、どうしたら向こう側に行けるのかなあ。

あっちの方が楽しそうだって、自分でも分かってんだけど。

パクチーを食べてあんな感じになれるなら、いくらでも食べるけどね。水族館に通えば
そのうち覚醒するなら年間パスだって買ってもいいけど、きっと、そうじゃないよね。

ああ、まあいいや。
そんなことより明日は、ちょっと豪華なモーニングに行かない？
あいつ、あの上司のこと、聞いてほしいことがたくさんあるの。
それに私あそこのアジフライ、この世で1番好きなのよね。

悲しきかな。この世の中、結局「わがままな人」が得をします

人は死ぬ時、やったことよりもやらなかったことで後悔するらしい。

それもそのはず、人間は皆死ぬまで過ごすベッドの上で、思い出としか寄り添えない。立つことはおろか寝返りも打てなくなってしまった時、私たちは冷たいベッドの上で、自分の人生を振り返るのだ。

「こんなことになるのなら、あれもやれば良かった」と思うのは、想像するに容易い。どれだけ困難な道も失敗も、喉仏を過ぎれば熱さや苦しさ、痛みを忘れ、大抵残るのは「だけど私はやってやった」という達成感だ。


それに人生の困難は、だいたいどうにかなるようにできている。

「どうにかなる」の定義が広すぎるからそうなるのだが、とくに我が国日本では大抵の困難には救済措置があるわけで、どれだけ境地に追いやられても、頭さえ使えば生きてはいけるのである。

私は若い時、その事実を知らなかった。小さな困難にぶち当たるたびにこの世の終わりだと思ったし、絶対に乗り越えられない、そして乗り越えられなかった先には命さえとられてしまうのでないかと思っていた。

だからできるだけそういう恐怖に怯えないように、挑戦することを避け、普通ならこうするよなという無難な選択をとった時期もあった。

人付き合いに関しては特にその傾向が強く、とにかく当たり障りなく、広く浅く、自分自身を大切にするよりも、相手に嫌われることを避けてきた。人間関係で失敗するのを恐れて過度に人へ気を使い、自分が傷つくことをされてもヘラヘラと笑っていたのである。

とくに看護師時代は、それを自分自身の美徳とさえ思っていた。

あの頃の私はよく、友人に「嫌われている人にこそ積極的に関わり、好きになってもらいたい」という考えを述べては、感心されていた。「そこまでせんでもいいのに」と言われても、それが正しいと思っていたし、辞めたくなかった。

看護師として働いているときもそうだった。病棟勤務は閉鎖的で、陰湿ないじめがつきものだったし、当然私も最初はいじめられたわけだが、そういう時もへこたれず、主犯格の先輩にわざわざ付き纏い、媚を売り続けた。

最初は邪険に扱われていても、あまりにもしつこい私にどの人も最後には折れて「おもしれー女」と気に入られていたわけだから、多分悪くはない作戦だったのだと思う。

あの頃の私にとってはそれが生きる術で、「いい人」でいるのは自分の人生を生きやすくするテクニックだったのだ。


だけど当然、やりすぎると弊害も出てくる。

「いい人」を演じ八方美人を貫くことで、私はいつのまにか多くの仕事を押し付けられることになったし、そしてそれら全てを断れなかった。苦手な人にも気を使うせいで度々傷つけられては心が疲弊したし、最終的には体調を崩すことになる。私が体調を崩しても仕事は減らず、押し付けてくる人たちはへらへらと笑うだけだった。

そんなある日、病棟の飲み会で「わがままな伊藤さん（仮名）」の話になった。

伊藤さんはとにかく自己中心的で、チームワークという点で見ると最悪、協調性も0だった。相手が上司だろうがはっきりとモノを申すし、普段から言い方がきつすぎて新人を泣かせたりと、しょっちゅうトラブルが絶えなかった。

だけど不思議なことに彼女に心から腹を立てる人はおらず、飲み会で話題に上がった時も、悪口として会話に花が咲くわけでもなかった。

「伊藤さんがいるもんね」という言葉を筆頭に、ありとあらゆる決め事や行事が、彼女を中心に組まれていく。トラブルは多いにしろ、仕事だけは抜け目なくきっちりとやってのける彼女に文句を言える人など1人もいなかったし、いつも「伊藤さんは我が道をいくタイプだからあんまり文句を言うと面倒臭いし、好きにさせようよ」という空気があった。

勿論私のように仕事は押し付けられないし、定時ぴったりに颯爽と帰っていく彼女を誰も気に留めなかった。「あの人はそうだもんね」と、受け入れているのだ。

私はそれが心底羨ましく、同時に今まで自分がやってきたことはなんだったのだろうと自問するようになった。

必死に媚を売ることでしか、誰かに認められる方法を知らなかった私。

看護師という面でみればチームワークを蔑ろにする伊藤さんは多少いきすぎているかもしれないが、自分が正しいと思うことを主張し、自分を大切にする選択をとりながら周りにも認めてもらうというのは、やっぱりある種の才能なのだ。


そうやって伊藤さんの生き様を見ながら、実感していた。

結局世の中というのは、「わがままな人」を中心にまわっていくものなのだ、ということを。ほどよく無神経で、ちゃんとわがままを言える人は周りに愛され、自分のことも大事にできる。

一方、神経質に周りへ気を使い、へこへこと頭を下げている当時の私のような人間は、それを続ける限り、一生「わがままな人」に従って生きていかなくてはならない。

そして実は世の中の多くの人が、伊藤さんにはなれない、後者なんだと思う。


どちらが得であるかという見方をすれば、答えは明確で、完全に伊藤さんだ。

だけど、どちらが楽かは、多分人による。

自分の意見を主張して生きていくのは、実はちょっとしんどくもあると思うから。

しかし、無神経な人は、ずっと無神経だ。気を遣ってくれる人たちの優しさに存分に甘え、わがままに生きていく。そんな人たちに媚を売り続けるのは、果たして人生のありかたとして正解だろうか。

そんなこんなで私はいつのまにか、考え方を改めた。

「嫌われている人にこそ積極的に関わり、好きになってもらいたい」と主張していた私だったが、今では「大切にしてくれる人以外は大切にしない」を徹底している。

自分の貴重な人生。

わざわざ苦手な人に媚を売る時間など必要ないと思ったのだ。

伊藤さんまでは飛び抜けられないし、そうしたいとも思わないけれど、私はできるだけ人に媚を売ることを辞めた。勿論優しさやチームワークには引き続き重きを置いているけれど、ほんの少し意識してわがままになるだけで、うんと生きやすくなった。
幸いそれで離れていく人はほとんどいなかったし、いたとしてもその人たちは私の人生に必要なかった人なのだ。媚を売るのをやめ、意見をすることで無駄な仕事を押し付けられたり、無闇に傷つけられたりすることは減った。

ああ、あの人たちは選んでやっていたのだな、と今なら思う。
私は気に入られていたわけではなく、なめられ、利用されていたのだ。

年齢を重ねた今思うのは、人はもっとわがままに生きるべき、ということだ。
周りに合わせて当たり障りなく生きていくのもまた人生ではあるが、あなたが意見を言ったり、自分の気持ちを優先したりしても、本当に大切な人は思ったよりも離れない。嫌われて孤立することもない。苦手な人を避けても、人生はちゃんとまわっていく。無理に全員と仲良しこよしをしなくても、毎日はちゃんと充実するのだ。若い頃の私は、それを知らなかった。

人生は有限だ。

大切な人に使う時間はただでさえ十分とはいえないのだから、貴重な時間を、無駄なことに使うのは辞めた方が良い。

伊藤さん、元気だろうか。

いや、きっとあの調子で、元気だろうな。

あの人は、そういう人だから。

安心して。あなたが羨んでる人の幸せ、全部偽物です

いつも誰かと自分を比べて、落ち込んでいた。

周りにいる人たちはみんなキラキラしていて、笑顔で。

「毎日幸せなんだよね」と笑う彼女たちが、都合よく汚い部分を削ぎ落とされた、おとぎの国に住むプリンセスのようにさえ思えた。


毎朝目が覚めるたびに傷んだボロボロの髪の毛をとかしながら、頬にできたニキビから出る膿を眺めながら、「どうして私はこうも彼女たちと違うのだろう」と落ち込む。

化粧台に並ぶ、やたらとお洒落で高そうなパッケージのデパコスたちを眺めては彼女たちに近づこうとした軌跡を辿ってみても、行き着いたさきはどうだ。デコボコの肌に派手な色の口紅が妙に存在感を発揮するだけで、何をやっても彼女たちのようにはなれやしないじゃないか。

そのうち、私は生まれつき根本的な何かがかけているのかもしれないと思うようになった。そしてそれはもしかしたら永遠に修復できないような欠陥で、彼女たちのようにはなれないのではないか、と。おとぎ話だってそう。醜い怪物はいつまでも怪物として虐げられてきた。そして物語の終盤、プリンセス達の美しさを際立たせながら、虚しく死んでいくのがお決まりじゃない。
童話に出てくる魔女や怪物が、もしも長い間その醜さを理由に理不尽に扱われてきたのだとしたら……。私は少しだけ、美しさに執着して白雪姫に毒を持った魔女の気持ちが理解できるのだ。

どうして私以外は、あんなに幸せそうなの？

隣にいる誰かだけが優遇されるところや、同じような写真をあげてもイイネの数が極端に多い誰かのSNSを見るうちに苦しくなって、嫌でも自分の立ち位置を再確認する。誰かが魅せる美しさや幸せはあまりにも眩しくて、その光に目を細めるたび、私はどんどん卑屈になった。
その癖それが全く別世界だと諦めることはできなくて、中途半端な憧れが余計に気持ちを落ち込ませる。いっそ「私は違う」と諦めることができたらどれだけ楽だろうと思うのに、それもできない。

彼女達を羨み、近くに行きたくて化粧品を買い漁り、毎月何万円もかけて美容室に通った。それでも大した成果が得られないと分かると、しまいには何百万円もかけて顔にメスを入れた。

レーザーで肌を焼いてオウトツをなおし、目を大きくして鼻を高くすれば、少しは彼女達に近づけると思ったのだ。卑屈な気持ちがすっと引いていくに違いないと信じて疑わなかった。そのためなら皮膚を切り刻む不快感も、世間から向けられる偏見も、貯金を使い果たすことさえも痛くはない。

しかし、結果はある意味で惨敗だった。

いくら努力をしても、お金をかけて痛みに耐えても、同じブランドの洋服を身につけて同じカフェに行ってみても、私は彼女達のようにはなれなかった。染みついた卑屈な性格は変わらないし、思い描いたような濁りなき幸せは、いつもその先になかったのだ。誰の真似をしても、誰にもなれない。多分私はそれに気づくのが遅すぎたのだと思う。

「これだけやったのにどうして」という気持ちは、何か努力をするたびに成果が得られないと感じて落ち込む私の心をますます擦り減らせた。

今になって思う。

きっとあの頃の私と同じように落ち込む女の子達が、この世界には無数に存在している。そして私が憧れていたプリンセス達でさえ、多分その女の子のうちの1人だ。

「人の見せる幸せは信じちゃあいけないよ」と、言われたことがある。

それは看護師時代に出会った患者さんにかけられた言葉だった。彼女は重度の統合失調症で普段は意思疎通が難しく、通常の会話は望めない女性だった。

食事介助をしながら朝のラジオを聞くのが私たちの日課で、その時に流れてきた芸人のおめでたいニュースに耳をかたむけながら、「ずるいよ」と半ば独り言をいった私に返ってきたその言葉を、今でも時々ふと思い出す。一見なんの意味もなく通り過ぎそうな言葉だけど、それでもあの時にそう言った優しい彼女の横顔に、その言葉の意味を考えてしまうのだ。

人はみな建前で生きている。そして年齢を重ねるほどに、他人に見せる自分をうまく取り繕う機会が増えていく。

自分がいかに幸せで、円満に過ごしているかのアピールを欠かさず、そのために演出さえしてみせるのだ。

子どもがいるのにやたらと片付いたモノトーンで統一されたリビング、ペットがいるのにホコリひとつ見当たらない玄関、ニキビひとつない肌、レストランで出てくるような手料理に、なんの不満もなさそうに微笑む家族写真。

それらはいかにも幸せそうに輝いて、まるで彼女たちがなんの文句もない輝く幸せの中にいるかのように見える。

だけど実際はどうだろう。

きっとそれは毎日ではない。

アンパンマンのおもちゃが散らかって、ホコリがたまり、スーパーのお惣菜が食卓に並んだ夜に、夫と喧嘩する日だってあるはずだ。「こんなはずでは」と嘆きたくなったり、「過去に戻りたい」と心底落ち込んだりする日も、多分ある。

だけど彼女たちはそれを、決して表で口にしない。

それは「大人」だから、自分自身の不甲斐なさをカバーする必要があるからでもあるだろうし、そして私はもうひとつ、守るべき何かが増えてきた結果でもあるのかなと思う。

みんな何かを背負い、そして、誰かを背負っている。

そんな中で「辛い」とか「苦しい」だなんて、素直に嘆く方が難しいのだ。

それはつまり、一緒にいる誰かとの時間や、今まで積み重ねてきて過ごしているその環境を、はっきりと否定することにも繋がるのだから。

それは多分、誰かのことも、そして自分のことも傷つける。

だからみんな、私の人生は正解だったのだと、周囲に認知させようとするのではないだろうか。自分のためだけではない、その人生を肯定されることで救われる、そばにいる大切な誰かのためにも。

だから私は今になって、時々あの患者さんがこぼした言葉を心の中で繰り返す。

「人の見せる幸せは信じちゃあいけないよ」

表向きに発された虚像と自分の人生を比べ、卑下する必要などない。

多分、完璧な人生なんて存在しないのだ。

みんなそれぞれ苦しみ、妥協し、後悔しながら生きている。だから人と比べず、羨まず、あなたはあなたの人生の中で、あなたなりの幸せだと思える瞬間を見つけて、そして自分の中で大切にすると良い。

「ｙｕｚｕｋａは幸せそうでいいよね。悩みなんてなさそう」

時々、そんなことを言われて苦笑いする。

あなたが羨むあの子も、もしかするとひとりになったとき、あなたの人生を羨んでいるのかもしれない。

過去を見ない。それから、未来も見過ぎない

「今だけを見つめろ」というのは、実はとても難しい。

私たちの頭はいつも過去や未来を生きていて、せっかく「今」を目の前にしながら、過去や未来を想像して憂いたりすることに時間を裂いてしまうのだ。


歳をとると、その傾向はもっと顕著になる。

公園のベンチで、永遠に「あの頃は良かったよなあ」と呟く老人や、深夜の酒場で「若い頃はさあ」と得意げに昔話ばかりを話す中年層の人間達と出会ったことがあるだろう。

私がそうであるように、みんないずれはそうやって、自分たちの輝かしい過去を思い返しては、今と比べて嘆いてしまうようになる。それもそのはずだ。歳を重ねるごとに経験が深まる代わりに新鮮さはすり減り、感動だってしづらくなる。恋や仕事に関しては、若い頃の方がバイタリティに溢れているのは当然である。

守るべきものが増え、しがらみも増える。しわが増えて体は衰え、ありとあらゆること

が前のようにはいかなくなるのだ。自由に走り回っていた過去を思い返して思わず「あの頃は……」と思い出話にふけるのは、ある意味健全なのである。

だからこそ冒頭に言った通り、今だけを見つめるというのは、言葉以上に難しい。

しかしそのうえで私は、「過去を捨て、未来ばかりは見るな」と言いたい。


ちょっと言葉を置き換えると、わかりやすいと思う。

「彼、昔はすごく優しかったの。こんなプレゼントをくれたし、あんなところにも連れて行ってくれたし。今は酷いことをしてくるけど、多分いつかは良くなると思うの」

こんなセリフを吐いたことや、友人から嘆かれたことはないだろうか？

職業柄、恋愛相談を受けていると、どんなタイプの相談にもだいたいこんな文面が入っている。これは即ち「過去は良かったし、未来は良くなるはず。今はダメだけど」と、典型的に過去に縋り、未来にだけ期待をしている状態だ。

仕事でもそうだ。

「入社当時は待遇が良かったんだよね。みんな優しかったしさ。今はパワハラを受けてるし、待遇も言ってたものとは違うけど、多分将来的には俺のためになると思うんだよね」

これも同じく、典型的な「過去は良かったし、未来は良くなるはず。今はダメだけど」である。

断言する。このタイプの悩みがある場合、放っておいても期待通りの未来が訪れることはまずない。

それは「過去」も「今」も「未来」も地続きであるからだ。過去と未来は独立して存在しているおとぎの国ではなく、「今」が時間と共に変化したものに過ぎない。

過去に良かったものが、腐って「今」になってしまったのなら、未来に期待しても、さらに「今」が腐るだけだ。新品に戻ったり、違うキラキラとした何かに置き換わったりすることはない。それを期待していくら今の苦しさを我慢したところで、その努力が身を結ぶことはないのだ。悲しいけれど。


過去を捨てるというのは、とても難しい。

その記憶が甘く誇り高きものであればあるほど、人はそっちを信用したくなってしまう。捨てたくないし、大事にしたい。だけどどうか受け入れてほしい、過去は過去。現実は、目の前にある「今」だけだ。

勿論、「過去」や「未来」も何かを選択する際の判断基準には欠かせない。

過去の経験のおかげで同じ失敗を回避できるし、明るい未来を想像するからこそ、多少遠回りをしてでも、堅実に今を生きられる。

だけどそこばかりに縛られてしまうと、肝心の「今」はいつまで経っても満足のいかないものになる。想像した「未来」にたどりつき、それが「今」に変わっても、同じように過去や未来に執着し、心ここにあらずな状態になってしまうだろう。

私たちはもっと、自分の気持ちに正直に、今、この瞬間を見つめるべきなのだと思う。

目の前に転がっている小さな幸せや気づきを見つめて、大切にしていく。そうすれば自ずと、今は美しい過去になり、そしてその地続きにある「未来」も、輝くものになる。

今を蔑ろにする人は、素晴らしい過去も未来も、結局は手に入れることができない。

私も人のことは言えず、気を抜くと過去ばかりを思い返してしまう。

当時は「こんなの耐えられない」と嘆いていたくせに、今ではそんな苦しい夜さえ、ちょっと羨ましい。多分、その先に今があることを知っているからだ。当時は死活問題だった悩みも、時間が経ってしまえばどうにかなっている。

当時の自分自身をもっと大事にできていたら、ちょっと違う今があったのだと思う。もう少し生きやすかっただろうし、ここに来るにもここまで遠回りしなかったかも。反省点はあるけれど、そこを思ってうじうじするのもまた、過去への未練だ。

「今だけを見つめろ」、難しい話ではある。

あるけれど、もしあなたが何かを選択する時、人生に迷った時、いつかふとした時に思い出してみてほしい。

「あなたは『今』、ちゃんと幸せですか？」

もし答えにつまってしまったら、そこはあなたのいるべき場所じゃないのかもしれない。

大人になるということ

時々、誰宛でもない涙が止まらなくなる夜があるのです。それはまるで今まで傷ついたけれど流せなかった涙が、出る機会を伺ってこぼれおちたような、そんな涙です。

失恋ソングを聞いていて、不意に誰かの記憶が現れて驚くことがあります。すっかり忘れたつもりで、気にもとめていなかったような大昔の相手です。私はあの時傷ついていたんだと、その時に遅れて気がつきます。

30歳にもなると、硬いプライドが心を覆ってしまっていて簡単に誰かに「寂しい」や「会いたい」なんて言えないし、積み上げているものが多すぎて、重すぎて、簡単には投げ出して逃げることなんてできなくなっているものです。

何よりも今までついた古傷が、ちょっと漏れ出そうとするため息を、
送ろうとするメッセージを引き止めます。

「その先にはなんにもないんだよ」って。

私たちは誰かに「会いたい」と言ったり
「さみしい」と言った先に起こることを知りすぎている。

それはあまりにも安っぽくて一瞬の時間で、その時間が私の上を通り過
ぎた後、何も残らずに寧ろ僅かな自尊心すら剥ぎ取ってしまうことなんて、
そんなことは痛いほどにわかっているから。

だから言えない、言えなくなるのでしょう。

涙が止まらない夜は、
インスタグラムの上には幸せそうな顔の私を残したまま更新を止めてお酒

Column

をひとくちずつのんで、寂しさを飲み込みます。
それが、誰も傷つけない正しい夜の越え方なのかもしれないと思うから。
だけど時々、若さに身を任せて正しくない夜を越えたあの日の自分を、
恋しく思ってしまう時があるのです。

情熱に身を任せ、先のことなんて蔑ろにして。

「今」という刹那的な感情に従っていた頃の自分を。
先のことなんて想像もせずに、無責任に会いたい人に「会いたい」とこ
ぼせていた自分を。

だけどたぶん、それをしなくなることが
さみしい夜に「さみしい」と言わなくなることが、
大人になるということなのかな、なんて思ったりもするのです。

5

「めでたしめでたし」のそのあとで。
プライド根こそぎ引っこ抜き、
祝「簡単には捨てられない人生」の幕開け

ああ、しまった。

今日こそあのカクテルを試したかったのに、またいつものハイボールを頼んでしまったじゃないか。


いつもそうなんだ、大切なことを忘れて、いつものルーティンに甘んじてしまう。まあいいや、次の一杯はあれにしよう。今日こそはあれを飲むんだ、絶対に。


人生は、ないものねだりで構成されている。

「あの時ああしたら良かった」

「あの時あの人を選んだら」

意味がないことは分かっているのに、油断をすればいつだって過去に帰りたくなってしまう。

分かってるんだ。たしか、あの頃も同じことを言ってたはずで。そこには今の私が恋しく思うような絶対的幸せはなかったし、きっとたいして綺麗な時間じゃなかったはずなのに。

人生は一度きりだからね。

本能のままに夜を駆け巡るのか、家族を作ってまだ見ぬ愛の境地を目の当たりにしてみるのか。どっちもやりたいけど、だけどどこかでどっちを選ぶか、慎重に決めなくてはならない。


自由を制限される恐ろしさや、それを投げ出してしまいそうなことに怯える自分がいたり。反対に自由の中で虚しさに溺れて後悔する自分も想像できたり。

一方に決めて突き進むなんて恐ろしいことのように思うけど、だけど何かを徹底的に諦めなければ何も手に入らずゲームオーバーだから。

きままに生きるには人生って、短すぎるんだよなあ。


そう考えたらさ、無駄な時間なんて、あってはいけないんだね。

まだまだこの夜にいたいけど、やっぱりこのハイボールを飲んだら、そろそろ家に帰ろうか。

ツイッターが炎上した。

内容は不本意なものだから触れないけれど、出産を経て「辛かったけど、この子を産んで人生が変わった」という私に飛んでくるリプライは、心を傷つけるには十分なものだった。

「どうして幸せじゃなかったくせに子どもを産むの？可哀想」

「自分が不幸なことを子どもに解消してもらおうとしている。どうせ毒親になる」

「こういう人って虐待しそう」

棘のある言葉は彼女たちの期待通りに私の心をえぐったけど、でも、そういう言葉をかける人たちの気持ちが分からないわけではなかった。

何を隠そう、「絶対に自分の遺伝子を残さない」と、過去に1番そう決意していたのは、誰でもない私自身だったのだから。

その頃の私は、自分のことが嫌いだった。容姿には納得がいかないし、優柔不断で打たれ弱く、自分に甘い私自身と付き合うことにうんざりしていた。幼い頃から、親には「不細工だ」と言われ続けた。いくらテストで１００点をとっても、母の機嫌が悪ければ「要領が悪い」「出来損ない」と罵られた。

私は美容整形をしているが、正直に言ってしまえば整形前に容姿で酷い目に遭ったことはほとんどない。出会った人たちはほとんどみんな優しかったし、私は人との出会いに恵まれていたと思う。こんな私を大事にしてくれる人はたくさんいて、足りない部分は誰かが、いつも補ってくれたのだ。

だけどそれでも甘ったれた私は母のかけた呪いの言葉から逃れられず、どこか影を背負って生きてきた。どうしても自分の価値を信じられず、私を認めてくれる誰かの言葉さえ聞き流してばかりだった。

それでもその頃は、まだいつか幸せになれると信じていた。きっとこんな気持ちは、そのうち消えて無くなるのだと、そう期待していたのだ。

しかし学生時代を経て、看護師となり、ようやく安定した幸せを掴めたと思った時に、のっぴきならぬ理由で夜の世界に入ったことで、その思いは砕け散る。

残念ながら売春婦として男の前に立つと、私達、女の人権は更に軽くなるのだ。

彼らは私を音の鳴るおもちゃとしか思っていないし、お互い偽名で本当のことなんて話さない空間の中、向けられるのは性欲と、ドロドロとした感情ばかり。私が今まで生きていたのは表の世界でしかなかったのだと気づいて、虚しくなった。

「こんな人生を送るお前に生きている価値はない」と、何度も言われたし思わされた。

恐ろしいのは私の前で醜い感情をあらわにするその男達が、表の世界では綺麗な顔をして笑っていること。彼らも誰かの夫で、父親で、良い同僚で頼れる上司に違いなかったのだ。

そんな彼らの腹の中にある本音をぶつけられるうちに、どうにか育ててきた小さな自尊心はしわくちゃになった。

ある日曜日の昼下がり、その日も仕事を終えて始発で帰ってきた私は、カーテンを締め切った部屋の中、不意にラーメンが食べたくなった。太陽の出ている時間に外に出るのが億劫だったけど、どうしてもその食欲に抗えず、久しぶりにそんな時間に外に出た。

私が住んでいたマンションの近くに真新しい注文住宅が並んでいる住宅街があり、ラーメン屋はその先にある。

ぽかぽかした陽気の中、その住宅街に差し掛かる。どこからともなくお昼ご飯の匂いが漂ってきて思わず立ち止まったその時、シャーッという音とともに、足元に水が流れてきていることにきづいた。立ち止まって顔をあげる。ふわっと涼しい風が頬を撫でた。

水が流れてくるその先に赤い屋根の大きな家が建っていて、どうやらその家の前で、誰かが洗車をしているようだった。

「あ……」と、思わず声が出た。その家はまるで、幼い頃に憧れたシルバニアファミリーの「赤い屋根の大きなお家」そのものだったのだ。

「こんな家に住みたい！」

小学生の頃、友人の家で見たそのドールハウスに目を輝かせていた自分を思い出す。まさしくあの時夢見たその家が、目の前にあった。家の前で干されている洗濯物が、ゆらゆらと心地よさそうに揺れている。

ふと、玄関の扉の開く音がする。ビクッと体を震わせる私の耳に、「ぱぱ」という声が飛び込んできた。駐車場に停めていた車の裏から、洗車用スポンジを持った優しそうな男性がひょっこりと顔を出す。

玄関には、エプロンを付けた綺麗な女性が立っていた。「できたよ」彼女が笑顔でそういうと、男性もまた笑顔で「今行くよ」と答えた。

その時、その女性が道路の真ん中で立ち止まっている私に、不意に視線を向けた。

今までテレビの中の美しい映像を見ているような気持ちだった私は、突然カメラ目線になった登場人物に驚き、そしてその途端、ものすごく恥ずかしくなった。まだ昨日の夜を引きずっていた私は、あまりにもその光景に不釣り合いだったから。

穴があったら入りたいとはこのことだと思った。私はまるで不審者のように目を逸らし、思わず道を引き返した。ラーメンのことなど、すっかり忘れていた。

家へと早足で向かう中、目頭が熱くなるのがわかった。

頭の中が「どうして」でいっぱいになっていく。どうして私はあの人たちと違うのか、どうして私はこうなってしまったのか。私はああはなれないと、なぜかその時に確信してしまった。あの玄関に、自分が立っている想像がつかないのだもの。それがたまらなく惨めだった。

自分のマンションに到着して真っ暗な部屋に入った私は、鍵も閉めずにその場にうずくまり、わんわんと泣いた。

あの時私は一度、人生における普通の幸せを諦めたのだと思う。

脳裏にある酷い表情や言葉から離れられず、自分の価値は地に落ちたものだと思っていたから。こんな私が、結婚をするだなんて、子どもを持つだなんて許されないと思ったし、そんな普通の幸せを願うことすら、不可能に感じてしまった。

だからこそ、今回の炎上で私に冷たい言葉を投げかけてきた彼女達が、まさにあの頃の私に思えたわけである。

だけど、だけどである。

そんな私も夜の世界から足を洗い、作家として暮らしていく中で、素敵な価値観の人たちに多く出会うことになる。その人達は私の本当の部分、すなわちだらしないところとか、汚いところとか、そういうものを根こそぎ曝け出しても、美しいと言ってくれる人達だった。そんな人たちと過ごしていく中で、少しずつ、少しずつ自分の愛し方を知った。

作家になってから出会った人達は、世間でいう変わり者が多かった。

普通と呼ばれることを嫌い、人と違うことを寧ろ個性として大切にし、その部分をより尖らせて、武器にしている人ばかりだった。それは私にとってあまりにも衝撃的だった。

彼ら彼女らといると、みんなと同じように足並み揃えなくても、幸せそうなふりをしなくても、真っ白な人生を歩んでいなくても、それでも息をして良いのだと思える。自分の後ろめたい過去さえも全て、ちゃんと意味のあることに思える。

つくづく人生とは、関わる人を少し変えるだけで、一変するものである。

そんな彼らと過ごしていたある日、前に見た住宅街を歩くタイミングがあった。

その日もそこにはやっぱり幸せのかおりが漂っていて、ふんわりと周囲をつつむ料理の香りの中、心地よい風が洗濯物を揺らしていた。

あの時あれだけ苦しかったその光景。そんな光景を見て、その時の私は、美しいと思えた。美しいと、思えたのだ。


どれだけ辛いことがあっても、誰かに傷つけられても、コンプレックスがあっても、一度は人生を諦めたとしても、それでもこうしてこんなに優しい景色を、美しいと感じることができる。ちゃんと心で感じられるのだと思うと、前とは違う涙がでそうになった。

辛かった部分も含めた自分自身の人生が、全て愛おしくていじらしいものに思えたのだ。生きていてよかった。

その時に私ははじめて、「私も幸せになれたのかもしれない」と思った。特定の人はいなかったし、全てがうまくいっているわけではなかったけど、それでもなんとなく、美しい景色の中にちゃんと溶け込むことができる自分がほこらしかった。


その頃からかもしれない。結婚や出産を前向きに考えるようになったのは。

純粋に、「こんなに美しい景色を、将来生まれた自分の子どもにも見せてあげたい」

あった。

と思えた。こんな私でさえ幸せになれた。包んでくれる優しい人たちや、美しい景色が

世の中は汚いことやずるいことに溢れている。子どもを産むという選択はどこまでいっても親のエゴであり、そこに肝心の子どもの意思は存在しない。

だからこそ、子どもを産んだからには、親が子どもを最大限幸せにする義務がある。そしてその自信が、過去の私にはなかった。

いまだに私は完璧じゃないし、今腕の中で眠るこの子を、そういう汚いところから遠ざけ、一度も傷つけないでいられるのかといわれると、無責任に頷くことはできない。

それでもひとつ言えるのは、この子がもしも自分の意思で茨の道を進んだとしても、どれだけ何かに躓いたとしても、世の中の汚い部分に触れてしまったとしても、私は誰よりも自信を持って「大丈夫」と言える母親になると思う。

大丈夫、それでも幸せになれるから。

大丈夫、美しい人や場所は必ず存在するから、と。

今、子どもを持つか悩んでいる人も多いと思う。昔からのファンの女の子達には、私と同じように苦しい過去を引きずっていた人達も多いと思うから。

私は今でも、「結婚した方が良いよ!」とか、「子どもを産むべきだよ!」だなんて安易には思えないし、言うつもりもない。

結婚生活や子育てにはまだまだこれから苦しい局面があるし、ただの恋愛とは違って投げ出すことができないものだから。向き不向きも勿論あるだろうし、それらが幸せのゴールというわけでもない。今の時代、いろんな選択があるし、そのどれもが正解なのである。

ただ、もしもあなたにとってそれが幸せで、だけど幸せになりたい気持ちとは裏腹に、「辞めておけ」「無理だよ」と引き止める過去の自分がいるのだとしたら、そろそろ決別しない? あなたの心の中にいる過去の自分をそっと抱きしめて、そしてもういいんだよと、大丈夫なんだよと伝えてあげてほしい。

今の私は、母親になるからといって、完璧な人間じゃなくても良いと思っている。いろんなことを乗り越えて、それでもまだ弱くてずるくて未熟で。だけどそんな私にしか与えられない愛や、言葉があると思うから。

長々と書いてしまったけど、質問の答えを述べようと思う。

「どうして子どもを産もうと思ったの？」

その答えは、

「今の私になら、幸せにできると思えるから」。

人を幸せにするためには、まずは自分が幸せにって、多分人生の基本だと思うのだ。

最大のタブー。妊娠してから失ったもの

この章を書いている私は現在、妊娠9ヶ月だ。

妊娠をして得たものは多い。何よりも自分の血を分つ我が子がお腹に宿るのはなんとも言えないほど神秘的で、まだ生まれていないにも関わらず、他人から見ればどこがどのパーツか分からないエコー写真にも愛しさが募る。

しかし同時に、失うものの話もしなければならない。

この話題はある種のタブーで、多くの母親は口に出さないと思うからこそである。実際、私が妊娠中に感じた「女は男に比べて妊娠出産で失うものが多すぎる」といった内容をツイートを呟くと、瞬く間に炎上した。

怒っているのはとくに男性で、「男は稼いでいるのに文句を言うな」みたいな声が続出するのはある意味予想通りではあったが、私が絶望したのは同じ母親からの「私は失うものなんてなかった」「失うものがあったと口にするだなんて、子どもが可哀想だ」「そんなことを思うお前は母親失格だ」という声だった。

私から言わせれば、どう考えたって妊娠出産には多くの犠牲が伴う。大きなものを得る代わりに、とりわけ女性側は男性と比較して不公平な程に差し出すものが多いのは紛れもない事実だと思う。妊娠する前の状況や各人の価値観によっても感じ方は大きく違うとは言え、とにもかくにも私にとって妊娠は、「失うものが多い出来事だった」というのは、今だに変えようのない本音だ。

そしてそんな本音を、「私は大丈夫だったから貴女も大丈夫なはず」という理屈でねじ伏せられるわけにはいかない。辛いものは辛い、嫌なものは嫌だと口にすることがいかに大切で、そうすることで救われる人がとても多いことは、ここ数年で何度も実感してきたから。

自分にとって平気なことが、他者にとって平気だとは限らない。実際にその炎上とは裏腹に、ＴｗｉｔｔｅｒのＤＭには「悩んでいるのは私だけかと思っていたから救われた」という声がひっきりなしに届いていた。

私はこの「妊娠出産は何よりも尊いのだから、女は自分のすべてを文句なく、笑顔で黙って差し出さなければならない」みたいな腐った風潮が、今だに婦人科の分野については先進国であるはずの日本が各国に遅れを取っている原因のひとつだと思う。

辛いことは辛い、痛いことは痛い、変えてほしいことは変えてほしいと口に出さなければならない。我が子が可哀想？　本当に？　私のお腹の中の子は男の子らしいが、最初から「妊娠ってめちゃくちゃいろんなものを失うし辛いことでもあるんだよ。だけどそれを乗り越えてでもあなたに会いたかったたし、あなたに大切な人ができたときには、それを理解してちゃんと支えてあげなさい」と教えるつもりだった。「妊娠出産は最高よ」と、肝心な部分を包み隠して話すより、本音で伝える方が重みがあるとは思わないだろうか？

前置きが長くなってしまったが、妊娠して失ったものと一口にいっても、人によって様々なジャンルのものがあるだろう。キャリアとか人間関係とか、他にもたくさん題材はあるのだけど、この本ではまず体の変化について触れておきたい。

というのも、妊娠が発覚して約10ヶ月をかけて、私の体は笑えるほどに年老いた。それは想像を越える変化で、言うならば、今の私は幼い私が昔銭湯で見たことのあった、あの「母ちゃんの体」そのものだ。

周期が進むにつれてお腹が大きくなり、妊娠線の兆候が見られるというのは想像がしやすいと思う。実はそれはまだ序の口で、寧ろただそれだけであれば、「そりゃあ、ここ（お腹）に子がいるから変化はあるよな」となんとなく割り切れる。

それよりもショックだったのは、想像もしていなかった全身の変化だった。

例えばお腹以外の部分に、今まで見たことのないような脂肪が付いていくこともそうだ。体重について、妊婦は妊娠前と比べて12キロ増くらいまでであれば許容範囲として考えられているらしいが、お腹の子や胎盤、羊水はせいぜい5キロくらいであることを考えると、仮に12キロ増えた場合は、単純に10ヵ月で己の脂肪が7キロ増えたことになるわけで、そりゃあ側から見ても全身が肉肉しくなるわけである。

実際私も今の時点で6キロほど体重が増加しているが、別のマイナートラブルである浮腫やリンパの滞りも相まって、太ももや二の腕のセルライトがとんでもないことになっている。

それと同時に女性ホルモンの変化で、なぜか顔にシミやニキビが増え、永久脱毛したはずのムダ毛たちは軒並みイキイキと生え揃い（寧ろ今まで生えていなかった腹毛までもがふさふさになった）、脇や乳首は5度見するほど急激に黒ずんだ。

とくに乳房と乳首の変化は凄まじく、カップ数があがるのは良いとして、全体に青い血管が浮き出てパンパンに張った乳房の先に、以前では考えられないような形に肥大して黒くなった乳首がひっついているその様を鏡で目の当たりにすると、いまだに思わず目を伏せてしまう。

お腹の中にいる胎児は成長していくため、母体のありとあらゆるところから根こそぎ栄養を取っていくというたくましい性質があるので、髪の毛や爪もスカスカになり、それが全体の見た目年齢の上昇に、更に追い打ちをかけていく。

抜け毛は増え、髪の毛はバサバサ。爪はささくれが目立ち、赤く乾燥して荒れているようにも見えた。

血液検査の数値は妊娠突入後から万年貧血。お腹を抱えてフラフラと腰をかばいながら歩く私は、まるで老婆のようだ。

ある日そんな自分を鏡で見て、思った。

どう見たってそそられない。自分自身に。女としての自信を、根こそぎ持っていかれた気持ちになった。

妊娠中でこれだ。出産をしたら、女性器まで裂けて骨盤は更にガタガタ。いよいよ見た目だけではなく、さらに全身が衰えるだろう。

愛しい我が子がお腹に宿ったのだから、自分の見た目や体の衰えくらいどうだって良いだろうと言ってくる人は多い。体感上とくに男性に多いそんな人たちは、「お前はすでに女性である前に母親だろう」と口を揃える。「まだ」そんなことを気にしているのか、と。彼らにとってみれば、私は妊娠をした瞬間に子どもを育てるためだけの「器」と化すのだ。生きる保育器である。

病院でさえ、母親がいくら不安を相談したところで「赤ちゃんは元気なんだから、それくらい我慢しなさいよ。どうでもいいでしょう」と鼻で笑われる。

確かに赤ちゃんが元気なことは何よりだが、やっぱり私にとってこの体の変化は「どうでもいいや」と簡単に割り切れるものではなかったし、妊娠中や出産後のボディイメージの変化は、恐らくどの女性にとっても重大だと思う。思うけれど、あまりにも周りとのギャップが激しく、余計に落ち込むのだ。そしてその気持ちを持つのは、何も私だけではないと思う。だからこそこのコラムの結末は、「だけどやっぱり出産は奇跡。この体型の変化さえも愛おしいから大丈夫」ではないし、そうであってはいけない気がしていた。

一度、どうしても妊娠線を作りたくない私が、大きくなっていくお腹に毎日オイルやクリームを塗りたくっているのを見た夫に、怪訝そうな顔でこう言われたことがある。

「俺は別に気にしないんだけど」

なんの話？と思った私が、「え、別にあなたのためにやっていないんだけど」と答えると、夫はさらに不機嫌になり、「誰に見せたくてやってるの？俺が気にしないならそれでいいじゃん。別にもう俺以外に見せる気がないならどうでもいいでしょ」と言った。

ああ、これが多くの人の思うことなのかと思った。だから私たちが体の変化に戸惑ったり、弱音を吐いたりすると怒るんだ。誰かに色気を使う気がなければ、体の変化なんて気にならないはずだと、本気でそう思っている人たちがいる。

違うんだよ、違う。不倫なんて今更するつもりもないし、過度な露出で誰かを誘惑するつもりもない。夫からの愛が妊娠線ごときで消えるなんて、そんなことも思っていない。

そうじゃなくて、そんなことじゃなくて、私たちは自分のために綺麗でいたいだけなのだ。鏡を見て、「今日も私ってイケてる」「そそられるぜ」って、最低限の自信を持ちたいだけなのだ。何も私たちの体は、異性に向けるためだけのものではないのだから。

その時に、夫のその言葉を聞いた時に、私は誓った。これからも、私は私の基準で自分の美意識を大切にしよう、と。そしてそれをこのコラムの結末にしようと決めた。

誰かに評価されるためではなく、自分に自信を持つために、美しさを諦めない。

思えばいつもそうだった。周りは、周りからの評価を基準に私たちの見た目をこき下ろし、こうするべきだと縛り付けようとするのだ。

それは、妊娠する前も同じだった。だけど私の体はいつだって、男に評価されるためだけのものではないし、夫のものでもなければ、息子のものでもない。自分自身のもので、自分自身のために大切にするものなのだ。

時々、子どもを持つ女性タレントが肌を見せる服を着たり、髪の毛をハイトーンにしたりすると、「母親のくせに」と批判が殺到することがある。私はそれに、ずっと違和感があった。私たちは母親になった瞬間、自分の体を好きに彩る権利すら失って当然とでも言うのだろうか。

「女だから」「母親だから」という意味の分からない価値観で、自分を諦めたり、飲み込みたくないものを全て飲み込んだりする必要なんてない。

自分の大事なものは何かを考えながら折り合いをつけ、両立させる。その選択を、誰も他者から評価される筋合いなんてないはずだから。

私は、これからも好きな格好をするだろう。妊娠線を防ぐためのマッサージだって辞めない。そして自分のために、この体の変化を大いに嘆く。「変わるのが悲しい」と、本音を吐き出す。

嘆きながら、自分なりの受け入れ方を探し、そして磨ける部分は精一杯磨いていくつもりだ。そうして、誰よりもカッコいい母ちゃんになってみせる。

妊娠して失ったものは、確かに多い。

だけど自分のために自分を磨くことを決意したとき、出産した先に、まだ見たことのないかっこいい自分が立っていることを想像できたから、今は少しだけ希望が持てるのだ。

出産から2ヶ月。

数時間の夜泣きの末、ようやく乳首から口を離して眠りについた息子を眺めながら、これを書いている。

この子を産んでから、丸2ヶ月ほとんど寝ていない。こうして静かになった今も束の間で、2時間後にはまた授乳の時間がおとずれるわけで。

本当は私も少しでも目を閉じなければならないのだけれど、この2時間にもやらなければならないことはあちこちに溢れているのだけれど、だけどどうしても今この瞬間にこれを書きたいと思って、パソコンにむかっている。そうしないと日々の忙しさにかき消されて、この気持ちがいつか思い出せなくなってしまうかもしれないから。

愛おしい我が子の寝顔を見ている時、ふと涙が出てくることに気づいた。それは出産してから何度も流している愛おしさからくる涙ではなく、猛烈な寂しさからくる涙だった。

私は、この涙のワケを書きたい。きっと世の中のお母さんがみんな人知れず流してきたであろう、この涙のワケを。


私はこの子を産むと決めた日から、何度も「女」を捨てた。

それは鏡の前で体型の変わってしまった自分と対面した時でもあるし、初対面の医師の前で何も思わずに股を開いた時でもあるし、半裸状態で搾乳機をぶら下げている自分の姿を客観視した時でもあるし、それから、そうやってふと感じる苦しさや寂しさに対峙した時、思い浮かべる人も泣きつける人も思い当たらなかった時でもある。


私はもう気軽に、「助けて」と甘えることが許されないのだ。

その事実を、何度も突きつけられる。多分それが、母になるということだから。


私は人に甘えるのが得意だった。

平気で弱音を吐いて、涙を流して、そのくせしっかりとメイクを整えてから誰かの胸に飛び込むことが上手だったのだ。私はなんだかんだそうやって、自分の中のフラストレーションを解放してきた。

誤解を恐れずにいえば、それは私にとっての女としての特権だった。苦しい夜、私は女になることでその夜を乗り越えてきたのだ。

だけどこの子の母になったその日から、何も考えずに自分の身一つで終電に飛び乗って街に繰り出していたあの時の私とは完全に決別しなければならなかった。

きっとこれは、前向きな変化だろう。

誰かが「人が本当の意味で大人になるのは、子どもができたその時」と言った言葉を思い出す。たしかにそうかもしれない。これは成長であり、まだ未熟だった私が親になるために、もう一段階、背伸びをすることを覚えた末の結果なのかもしれない。

もちろん周りも、あたりまえにそれを求める。

「母親なのだから」もうすでに何度この言葉を聞かされただろう。

でも確かにそうだよなと納得する。

だって私は母親だから。この子を守れるのは私だけだから。

だけどどうしてだろう、それが時々どうしようもなく苦しく、悲しいのだ。このままこの成長痛を乗り越えて背伸びをした先に、あの頃の私は消えてしまうのだろうか。

好きな人のために、クローゼットから少し気取ったワンピースを選ぶ瞬間が好きだった。誰かと出会って、恋に落ちるまでの時間も好きだった。時間を気にせずに飲む終電終わりのビールの味が好き。飲みすぎて立ち上がれなくてけだるい朝が好き。何よりも、そんな時間に生きているときの自分の姿が、一番好きだった。あの日、大好きなワンピースを着て大好きな人と好きなだけ好きな時に笑い合う私は、いつもどこか輝いていたから。

あの頃の私ともう二度と会えないと思うと、自分の存在価値さえも分からなくなる瞬間があった。あの私を捨てて、私は私を、好きになれるだろうか。私は私を、ちゃんと生きていけるだろうか。

藤井風さんの、「死ぬのがいいわ」という曲がある。

私はその曲がだいすきでいつもプレイリストに入れていたのだけど、つい最近までその歌詞に綴られた言葉を、猛烈に愛している恋人に向けた重すぎるラブレターだと思っていた。

だけど何かのインタビューで彼が、「心の中にいる理想の自分に宛てた歌詞」だと解説しているものだから驚いた。狂気とさえ思えるあれだけの愛の言葉を、誰かにではなく、自分に向けて書いただなんて、と。

だけど今になってあの歌の歌詞を聞くと、それはまさに「あの頃の私」に対して私が抱いている感情そのものだった。

「私の最後はあなたがいい、あなたとこのままおさらばするより死ぬのがいいわ」

無自覚だったけれど、私は私自身を、いつのまにか猛烈に愛していたらしい。あれだけ嫌いだった、ばかで不器用な「あの頃の私」と別れるのが、こんなにも寂しいのだから。

愛おしい我が子の寝顔を見ている時、ふと涙が出てくることに気づいた。

それは出産してから何度も流している愛おしさからくる涙ではなく、猛烈な寂しさからくる涙だった。

そう、この涙のワケは、あの時の自分が消えてしまうのを恐れての涙だ。何かを夢中に追いかけながら自分のためだけに生きていた、若い日の私を失うことへの寂しさが詰まった涙だ。

ああ、どうしよう、不安だなと思う。
こんなことは誰にも言えない、きっと叱られるから。
寂しいな、と思う。他のお母さんもこんな気持ちをこえてきたのだろうか。

なんて、こんなことを書きながらも、疲れて眠る息子の寝顔を眺めていると、さっきまで溢れていた感情がすっと落ち着いていくのが分かる。寂しくて流れていたはずの涙も、いつのまにか愛おしくて流れる涙に色を変えていく。そしてふと、「ああ、これが母親になるということか」とまた思う。

ある夜駅からの道を歩いていると、ＡｉｒＰｏｄｓで誰かと通話しながら、可愛いワンピースを着て駅へと急ぐ女の子とすれ違った。高いヒールに小さな鞄だけを持って軽快に小走りするその女の子は、どうやら終電に駆け込もうとしているようだった。

私とすれ違う瞬間、ふとその女の子が、私の胸で眠る息子の方に視線を向けた。

「かわいい」

電話の相手にも聞こえなさそうな音量でそう言ったその女の子の口元が、綻ぶのが見えた。

駅へと走っていく彼女。大きなリュックを背負い、息子を抱え、歩きやすいスニーカーを履いた私の、あの頃を見ているようだった。ちょっと羨ましくて、だけど誇らしかった。

多分これから私は、もっと多くのものを失うのだろう。彼女のように身軽に、終電へ飛び込むことはもうできないかもしれない。そんな自分に時々少しの寂しさを感じて、泣きたくなる時もある。

だけど本当は分かっている。多分それさえも凌駕する愛おしさや新鮮さを体験することも。だから私は、生きていける。ゆっくりと、今の自分を受け入れながら。

世の中のお母さん、そしてお母さんになろうとしている女の子。きっと私と同じような気持ちになったことがあるんじゃないかなと思う。

そんなあなたに、約束してほしい。
変わっていくことを、どうか恐れないで。
だけど流れる涙を責めないで、否定しないで。
あなたの感じているその気持ちは、どれも大切なものだから。

そしてクローゼットにしまっているお気に入りのワンピースは捨てないで。いつか袖を通す日を夢見て生きてほしい。あなたの人生の主役はあなただということを、どうか忘れないでほしい。

母親になっても、あなたはあなた。私は私。私はあの頃の私も今の私も捨てないで、両方をちゃんと抱えて生きていたい。

死にたいあなたへ伝えたいこと

「なんで生きてんの？」

タバコの煙を吐き出す彼は、天井を見上げて言った。同じく全裸でベッドに横たわる私も息を吐くように「なんかしらないけど、生きちゃってるんだよね」と答えた。

ラブホテルの一室。狭い部屋にある換気扇は壊れていて、煙と蒸気がゆっくりと交わっていくのが見える。タバコのにおい、鼻につくよくある芳香剤のにおい、人間のにおい。

ピンク色の照明に照らされる風呂と汗の蒸気の中にいる私たちは、ふたりとも揃って恐ろしく醜かった。

どうして生きてるんだろうねぇ。私が聞きたいけれど、多分答えなんてないでしょ。私たちは勝手に産み落とされて、死ぬまで生きている。それだけ。

甘い言葉なんてちっとも吐かないこの男に、大事にされてもいないのにまた会いに来る。

抱きしめられて吐き出されたら蔑ろにされて、また虚しくなるだけなのに。それでも律儀に化粧をして、わざわざそれを剥ぎ取られるために電車に乗る。

「そろそろ帰らなくちゃ。用事があって」

嘘つきだなあと思いながら、頷いた。用事なんてないくせに。コトが終わったら、いつだって逃げ出すように視線をそらすじゃない。

そういえば、彼の家ってどこにあるのだろう。

Column

かれこれ3年の付き合いになるし、体の隅々にあるほくろの位置まで全部知っているのに、私は彼の肝心なところを知らないし、聞けない。聞いたら、もう二度と会えない気がして。

私は目の前にいる「オトコ」を元の世界に返すため、立ち上がって、まだ低いベッドに座っている男に手を差し伸べた。

「シャワー」

気だるそうな顔をしたその生き物は、あからさまに私を見下した目を向けながらタバコの火を消して、のっそりと立ち上がる。

「たしかに、なんで生きてんだろう、私」

ぽつりと聞いてみたけれど、彼は答えなかった。

なんで生きてるのかって、哲学的に考えたことはない。
その疑問が浮かんでくる時は大抵沈んでいる時で、この世界はこんなに苦しんで生きる価値のある場所なのかという疑問とか、自分はこの場所で生きるに値するのかとか、そんな不毛な自問自答を頭の中で繰り広げている時にふと、その疑問に行き着く。

どうして私たちは生きているのだろう。
わざわざこんなに不平等で無惨な世界で。

そんな空気が充満しているからなのか、嫌なことが起こったり、誰かに深く傷つけられたりするたびに、この世界で生きていく気力を失う人が最近、増えている気がする。

恋愛がメインのエッセイ本で、この話題に触れるかは悩みどころだった。だけど何か大きな苦しみに直面した時に頭によぎる人が少ないことを、私は知っている。

だからここでも話そうと思う。

Column

自殺。重いテーマである。

私の運営するTwitterには、今だに「死にたい」というダイレクトメッセージが届く。それは私が今まで自殺未遂者として、自死というにテーマついて何度も取り上げてきたからである。今だにグーグルで検索すると、「自殺　方法」や「自殺　楽な死に方」で、私の記事がヒットするらしい。

コラムだけではない。遺品整理士と対談をしたり、自死に失敗して植物状態になった患者さんと関わる男性と対談したり、はたまた孤独死の現場を実際に訪れて、取材したこともある。

私はいつも「死にたい」という気持ちを解剖して、理解して、そして和らげたいと思っていた。

だけどどの方面から「死」に触れても、その実態ははっきりとしない。亡くなってしまった本人とは話せないし、本当のところなんて想像でしか語れないから当たり前だ。

だけど追いかければ追いかけるほど、どの場所にも漂っていたのは得体の知れない孤独だった。

種類の違う、だけどそこ知れぬ闇を含んだ孤独。いつも自死という結果の周囲は、そういった類のもので澱んでいた。自殺をしたその先に、清々しい、あるいはスッキリするような結末はないのだ。

遺品整理を仕事としながら、現場のミニチュアを制作している小島美羽さんという女性がいる。彼女と対談した時に聞いて、背筋が凍った話があった。

「自殺現場の半数には、遺書がないんです。

あったとしても、最終的には証拠隠滅されて届けたい人に届いていないのではないかと思うケースがある。自殺をする方って、周りの人に迷惑をかけないように配慮して、他人が苦労しないようにできる限り工夫して死んでいく。一方で残した人が証拠隠滅をしたり、原因を作った人間がのうのうと生きているところを目の当たりにすると、良い人が亡くなり、悪い人が平然と生きて行く世の中なんだなと思ってしまいます」

何かを伝えたくて死んでいくのだとしたら、人生をかけたその結末はあ

Column

まりにも虚しい。

私は兼ねてから、死にたい気持ちは否定しないと伝えている。かつての私がそうだったように、それ以外に救われない気がして、その選択肢が頭によぎる人は少なくないと思うから。

その気持ちすらも「大袈裟だ」とか「死ぬなんていうな」と閉じ込めてしまったら、実際に苦しくて湧いて出た感情は行き場をなくしてしまう。行き場をなくした感情は消えるわけではなく、溜まる。溜まって溜まって、そして最後には爆発するだろう。

とくに自己嫌悪に陥っていると、物事の悪しき原因は全て自分にあると思い込んでしまう。だからその原因を無くすために、自分を消してしまおうという物騒な考えに行き着いてしまう瞬間が、誰にだってあるのだと思う。

だから、死にたい気持ちは否定しない。

死にたいと思う気持ちは、多分、間違っていない。

だけどそれでも、この絶望的な世界の中で生きていてほしいと思うのは、「生きられない人がいるから」でも「あなたの死を悲しむ人がいるから」でもなく、ただもったいないと思うからだ。

もったいない?

恐らく「死にたい」という渦に巻かれている人に、この言葉は届きづらいと思う。多分あの頃の私に同じように語りかけても、「何もわからないくせに」と余計に苦しめてしまうかもしれない。

それでもやっぱり伝えたい。命を投げ出すのは、もったいない。
理由は明確で、明日何が起こるかわからないからである。

私たちは未来を予測できない。それは絶望であり、同時に希望だ。悲し

みの中に居たらとてもじゃないけれど想像できないような未来が、この先に広がっているかもしれない。

それを掴むためには、生きなくてはならない。苦しいけれど、生きなくてはならないのだ。

「生きていれば絶対に幸せになれる」なんて言葉は嘘だ。だから私は言わない。

だけど、生きていれば今日よりはマシな日がやってくる。多分これは誰にとっても本当のことで、小さな希望かもしれないけど、やっぱり捨てないでほしい。

あなたの悩みの根元はなんだろう。あなたがもし今死にたいのなら、それを見つけ、出来ることならば、死にたい種となっている苦しみを、どうか手放してほしい。

耐えることが美徳とされるこの世の中で、逃げ出すことはなんだか後ろめたいかも知れない。だけどあなたの命を消してしまうことに比べたら、どんなことから逃げ出したって、大抵はちっぽけなことだ。

だからどうか、あなたを蔑ろにする環境や人からは一目散に逃げ出して。そして今日から、あなたはあなたのために生きる。そうすればその先にある今日よりもマシな日と出会う時が来ると思う。

「昨日よりはマシだから、今日だけ生きてみよう」

その繰り返しの先に、死にたい気持ちを手放せる日が来ると思う。

数年前、毎日死にたくて泣いていた私は、そうやって死にたくない今に立っている。借金を抱えて風俗嬢として働き、取り立て屋に怯えながら未払いの電気が断たれる音を聞いた汚くて真っ暗な部屋にいた私。

「死にたい。死んだ方がマシだ」

そんな風に泣いていた私だって、あんなに死にたかったのに、今は塩分まで控えだしている。

Column

人生はおとぎ話ではない。だから私はまだ、小さな頃に思い描いたような完璧な幸せの中にはいない。眠れない夜も、塞ぎ込みたくなる朝だって、まだまだずっとやってくる。


それでも、確実にあの頃よりもマシな明日が、私にはあった。

生きていたから、あった。


数年前から私の本を読んでくれている読者の人から、時々メッセージが届く。

「あれだけ死にたかったけど、踏みとどまって良かった」

何年か前にリストカットをした自分の腕の写真を送ってきていた女の子が、その腕で小さな我が子を抱いている写真が添付されていた。


死にたい気持ちは否定しない。

だけど、死にたくさせる場所は捨てること。

この本を読んでいるあなたにも、そんな日が訪れることを祈っている。

おわりに

やっと辿り着いた。

というのも、いよいよ仕上げだという時に予定日より随分早く息子が誕生してしまい、この「終わりに」を書くまで、時間がかかってしまったのだ。だけどそのおかげで、妊娠中~育児までの気持ちをありのまま言葉にできたから、勝手ながら良かったのかもしれないな、と思う。少なくとも今しか書けないことが、多分たくさんつまった本になった。

さて、当書籍は目標としていた通り、今まで書いてきたものとは少しだけ毛色の違うものになっているのでは、と思う。

今までは「女の子達へ」という気持ちで、昔の自分に手紙を書くつもりで言葉を書いてきた。

深夜、浴びるようにお酒を飲んでいた私、失恋して泣いていた私、孤独に怯えて震えていた私。そんな「私」と同じ気持ちに陥ってもがいている誰かを抱きしめられるように、そんな思いで。


だけど今回は、「大人になった女の子達へ」手紙を書いた。

等身大の私が思うことを、同じように眠れない夜を越えて大人になった同志や旧友に向けて綴った手紙だ。


今回の本を書き始めて、自分自身の状況や感情、考え方の変化に驚いた。

最後に本を出したのは20代。それから結婚引越し妊娠出産を経験したわけで、そりゃあ価値観が変わって当然。

とりわけ妊娠出産に関しては、私が持っていた今までの価値観を見事に打ち砕き、良い意味でも悪い意味でも脱皮してすっかり違う生き物に生まれ変わってしまったような気持ちだ。

恋愛成就の方法は、巷の恋愛本にたくさん書かれている。

ＬＩＮＥテクニックとか、気になる男子の落とし方とか、そういうの。だけど成就した先、つまりは「ハッピーエンドの先」には触れられていないことがほとんどだ。それもそのはず。おとぎ話の結末は大抵地味で尚且つグロテスクだから、誰も知りたくない。

だけど人生においてはハッピーエンドの先の方が長いわけで、きっと本編よりあとがきの方が重要だと思うから。だからこそ私は、ハッピーエンドのその先、を書きたかった。そして実際にこうしてそれを書ける機会をいただけたのが、とても嬉しい。

さあ、あの頃「女の子」だったみんなは、元気だろうか。

ちゃんと夜は眠れてる？ あの時の彼氏は、どうなりましたか？

私はいまだに眠れない夜もあるし、泣いてしまう日もあるし、ばかみたいなことで傷つくときもあるけれど、それでもあの頃よりマシな今を、ちゃんと生きています。

大人になった女の子達、きっとこれからも人生は理不尽でつまらないかもしれないけど、それでも毎日、着実に、昨日よりもマシな今を積み重ねていこうね。

そうしてできた、歪だけど個性的な素敵な未来。そんな素敵な未来でまたみんなと会えたら、そこでもまたこうして、泣いたり笑ったり、ばかみたいに話そう。

そんな日を楽しみに、またどこかで。

私はいつでも、ここにいます。

yuzuka

yuzuka

恋愛作家・エッセイスト。1991年生まれ。精神科・美容整形外科の看護師、風俗嬢の経験もある。Twitterのフォロワーは約12万人。多くの女性から共感されている。著書は『君なら、越えられる。涙が止まらない、こんなどうしようもない夜も。』（大和書房）『大丈夫、君は可愛いから。君は絶対、幸せになれるから。』（KADOKAWA）『Lonely? ねえ女の子、幸せになってよ』（セブン＆アイ出版）。本書が妊娠・出産を経験後、初めての作品。
Twitter @yuzuka_tecpizza

埋まらないよ、そんな男じゃ。

モノクロな世界は「誰かのための人生」を
終わらせることで動きだす。

発行……………2023年7月24日 第一刷
著者……………yuzuka
発行元…………逆旅出版
〒107-0062
東京都港区南青山2-2-15WIN 青山531
電話050-3488-7994
https://www.gekiryo-pub.com
イラスト　ぬごですが。
装丁……………合同会社IMAGINAL
DTP組版………和田悠里
編集・校正 ……中馬さりの　ふくだりょうこ
印刷・製本 ……株式会社シナノ
ISBN978-4-9912620-1-2 ©0095 ￥1500E
Printed in Japan

Can't fill it up, that's the kind of guy.
The monochrome world begins to move by ending "a life for someone".